Ingo F. Walther

PABLO PICASSO

1881–1973

Le génie du siècle

TASCHEN

KÖLN LONDON MADRID NEW YORK PARIS TOKYO

COUVERTURE :
Buste de femme au chapeau rayé (détail), 1939
Huile sur toile, 81 x 54 cm
Paris, Musée Picasso

ILLUSTRATION PAGE 2 :
Autoportrait à la palette, 1906
Huile sur toile, 92 x 73 cm
Philadelphie, Philadelphia Museum of Art,
A. E. Gallatin Collection

DOS DE COUVERTURE :
Pablo Picasso, aux mains en forme de petits pains
Photographie de Robert Doisneau
Vallauris, Villa La Galloise, 1952

© 2000 Benedikt Taschen Verlag GmbH
Hohenzollernring 53, D–50672 Köln
www.taschen.com
© 1993 VG Bild-Kunst, Bonn, pour les illustrations
Production : Ingo F. Walther, Alling
Traduction : Charles Descloux
Couverture: Catinka Keul, Angelika Taschen, Cologne

Printed in Germany
ISBN 3–8228–6173–1

Table des matières

Enfance et jeunesse
1881-1901

Sa gloire de «génie du siècle», Picasso semble l'avoir méritée par son œuvre de peintre, sculpteur, graveur, céramiste, sans exemple à travers toute l'histoire de l'art tant par sa qualité que par sa profusion. L'argument est probant. Mais aurait-il obtenu cette dimension mythique, s'il ne s'était pas appelé Picasso? Autrement dit, révolutionner l'art, se renouveler sans cesse en innovant, rompre avec toutes les conventions de la tradition, tout cela ne suffit pas pour mériter la consécration du génie. Il y faut encore un rayonnement charismatique, capable de séduire, de fasciner aussi bien les critiques que les admirateurs. Or ce pouvoir, Picasso l'a possédé à un degré rare.

Critiques, historiens de l'art assument le rôle d'intermédiaires dans la connaissance de l'œuvre. Mais nous ne pouvons que rarement les dissocier de ceux qui diffusent l'indispensable aura du génie, ses parents, connaissances, amis, contemporains, sans oublier les biographes de l'artiste. Ceux-ci rapprochent les hommes de ce qu'il y a d'humain dans le génie. Sans ces intermédiaires entre l'artiste, l'œuvre, l'homme Picasso et son public – fervents admirateurs aussi bien que persifleurs sceptiques –, le phénomène Picasso, son impact sur les générations suivantes d'artistes, sa popularité, demeureraient incompréhensibles.

En ce qui concerne la biographie de Picasso, remarquons qu'elle commence bien avant sa naissance. Aux yeux de ses biographes en effet, les causes, les fondements des traits incompréhensibles, insaisissables qui définissent précisément le génie, doivent être repérés quelque part. On ne pouvait donc manquer d'en recueillir les prédispositions dans le passé. Déjà en interrogeant la génération des parents, l'enquête s'est révélée fructueuse. Le père de Picasso, Don José Ruiz Blasco, était peintre, d'un talent certes très médiocre. On a pu remonter la branche paternelle jusqu'à l'an 1541; Roland Penrose, le biographe sans doute le plus connu de Picasso, caractérise ainsi la lignée ancestrale: «Dévouement, ténacité, courage, ouverture aux arts et religion sincère sont des traits qui reviennent sans cesse chez ses ancêtres.» Ce sont là des traits de caractère qui peuvent aussi s'appliquer au rejeton le plus illustre, Pablo Ruiz Picasso. On a de même scruté l'ascendance maternelle. A tout le moins, Doña Maria Picasso y López a transmis à son fils Pablo les traits de sa physionomie, et parmi ses ancêtres se trouvent tout de même deux peintres.

Autoportrait: Yo Picasso, 1901
Huile sur toile, 73,5 × 60,5 cm
Collection particulière

«J'ai dessiné avant de parler, mais je n'ai jamais fait des dessins d'enfants ... Mon père était professeur de dessin et c'est probablement lui qui m'a poussé prématurément dans cette direction.» Picasso

La Première communion, 1895/1896
Huile sur toile, 166 × 118 cm
Barcelone, Museo Picasso

Sa naissance – comment pourrait-il en aller autrement? – s'entoure déjà de l'une des innombrables légendes tissées à son sujet. La sage-femme avait tenu Picasso pour mort et s'était aussitôt retournée vers la mère. Il fallut toute la présence d'esprit de Don Salvador, un oncle, médecin de talent, pour sauver l'enfant d'une mort par étouffement. Sa recette fut aussi sommaire qu'efficace: il souffla la fumée de son cigare en plein visage du futur génie, ce qui provoqua les cris du petit Picasso. Cela s'est produit à Malaga, le 25 octobre de l'an 1881, à onze heures et quart du soir. Picasso s'est complu à raconter cette légende, que les biographes n'ont pas manqué de rapporter. N'est-ce point là déjà, au premier moment de l'existence, la confrontation de Picasso avec la mort, vaincue – certes, avec l'intervention d'autrui. Cette vitalité que l'on admirera encore chez le nonagénaire, sans laquelle une production à coup sûr unique aurait été impensable, cette vitalité a donc éclaté dès sa naissance.

Picasso passe les dix premières années de son existence dans sa ville natale de Malaga. La famille vit dans de modestes conditions. Le père ne parvient que difficilement à assurer son entretien en fonctionnant à la fois comme conservateur du musée municipal et maître de dessin à l'Escuela de San Telmo. Lorsqu'on lui offre un poste mieux rétribué dans le nord de l'Espagne, il profite de l'aubaine; la famille demeurera quatre ans à La Corogne, capitale de la province située sur l'Atlantique.

Ce père est aussi le premier à stimuler les talents de son fils, bien que soucieux d'abord de sa réussite scolaire. Picasso racontera plus tard que seule l'avait intéressé chez l'enseignant la manière d'écrire les chiffres au tableau. Il se souciait uniquement d'en copier leur forme, considérant comme élément accessoire le problème mathématique posé. Il s'étonnait d'avoir malgré cela assimilé les rudiments du calcul. En revanche, le dessin est une passion de tous les instants. Il lui paraît la seule façon adéquate de s'exprimer.

La formation traditionnelle, le génie la rejette donc; il paraît avoir pris lui-même en charge sa formation artistique. Au père revient, dans un premier temps, le rôle de modèle. Mais à treize ans, Picasso a déjà acquis les compétences de son père en la matière. Une formule laconique lui suffira pour décrire la relation entre lui et son père à ce carrefour de son existence: «Il me remit ses couleurs et son pinceau, et n'a plus jamais peint.» Comme celui-ci le lui avait demandé, il s'était contenté d'achever dans une peinture de son père les pattes de pigeons: il s'en acquitta avec tant de naturel que celui-ci lui remit ses outils, reconnaissant dans le tout jeune Pablo un artiste mûr.

L'examen d'entrée à l'Ecole des beaux-arts de La Lonja à Barcelone produit le même résultat. Son père y avait obtenu un poste d'enseignant, ce qui l'amènera à s'installer dans la ville portuaire au début de 1895. Il intervient pour que Pablo saute les premières classes et soit admis dans les cours avancés. Les travaux d'examen à effectuer en art classique et dans la nature morte doivent être remis au bout d'un mois. Mais il paraît que le petit Pablo a rendu son travail le jour d'après; mieux encore, il a réussi plus brillamment les épreuves que des élèves formés leur examen final.

Portrait de Pedro Mañach, 1901
Huile sur toile, 100,5 × 67,5 cm
Washington, National Gallery of Art

**Projet d'affiche pour Els Quatre Gats
(Les quatre chats), 1902**
De g. à dr.: Romeu, Picasso, Roquerol,
Fontbona, Angel F. de Soto, Sabartès
Plume, 31 × 34 cm
Ontario, collection particulière

«L'art *est* subversif. C'est quelque chose
qui ne *doit* pas être libre. L'art, comme le
feu de Prométhée, doit être dérobé pour
que l'on s'en serve contre l'ordre établi.
Dès que l'art est officiel et ouvert à tous, il
devient le nouvel académisme.» PICASSO

La Buveuse d'absinthe, 1901
Huile sur carton, 65,8 × 50,8 cm
New York, collection Melville Hall

C'est donc un enfant prodige. Sans formation proprement
dite, il satisfait à l'âge de quatorze ans aux exigences d'une académie respectée. Gertrude Stein, qui lui témoignera plus tard
amitié et soutien, a vu elle aussi en Picasso le maître tombé du
ciel: «Tout petit, écrit-elle, il dessinait; ce n'était pas les dessins
d'un enfant mais ceux d'un peintre né.» Les livres qui en parlent
considèrent comme un indice important de son génie le fait que
dans son enfance Picasso dessinait et peignait comme un adulte,
tandis que l'adulte Picasso conservera dans son art quelque
chose de primesautier. Paul Eluard, par exemple, tiendra en 1951
une conférence à Londres sous le titre: «Picasso, le plus jeune
peintre du monde, fête aujourd'hui ses 70 ans».

Avant même la fin de ses années d'apprentissage, ses travaux
le hissent parmi les peintres en vue de Barcelone. Ainsi, la
Première Communion (ill. p. 6) de 1895–1896 côtoie des
tableaux d'artistes de premier plan tels que Santiago Rusiñol et
Isidro Nonell à la plus importante exposition jamais organisée à
Barcelone. La contribution de Picasso paraît avoir satisfait à
toutes les exigences académiques. Il a choisi un sujet religieux,
mais au lieu d'actualiser une scène de l'Histoire sainte, il traite
d'un événement de la vie privée lourd de sens. L'acte d'insertion
définitive dans la communauté ecclésiale est prétexte à une
peinture d'histoire sur le plan familial. Tandis que le sujet choisi
correspond à l'idéal académique d'une douce ferveur, la facture
picturale réaliste opère en revanche à contre-courant des goûts
conventionnels. Picasse ne tardera pas à se détacher de cet académisme léché.

Après un bref séjour estival à Malaga, Picasso s'installe en 1897
dans un nouvel atelier à Madrid. Il s'inscrit à l'académie la plus
célèbre d'Espagne, San Fernando. De plus grande portée pour
son avenir de peintre sont ses nombreuses visites au Musée du
Prado. Il y copie les maîtres anciens, s'efforce d'imiter leur style;
dans son œuvre ultime, seuls leurs sujets lui serviront de
modèles, prétextes à de libres variations sans cesse renouvelées.
Le séjour madrilène de Picasso s'interrompt brusquement.
Début juin, atteint de scarlatine, il retourne à Barcelone pour se
soigner. A peine arrivé, le remuant Picasso gagne avec son ami
Manuel Pallarés le village montagnard de Horta de Ebro. L'expérience madrilène avait amorcé le détachement de l'académie et
de la maison paternelle; l'isolement dans le village des Pyrénées
révèle Picasso à lui-même. Au printemps 1899, il revient à Barcelone plein d'ambitieux projets. Il s'intéresse désormais aux nouvelles tendances de la peinture espagnole et cherche à prendre
contact avec ses meilleurs représentants. Le cabaret d'artistes Els
Quatre Gats (Les quatre chats) est leur lieu de rendez-vous.
Picasso y fait la connaissance des modernistes Rusiñol et Nonell,
rivalise avec succès dans leur art marqué par l'Art Nouveau français et le préraphaélitisme anglais. Ses aînés reconnaissent son
talent, de sorte qu'en 1900 déjà il présente sa première exposition dans les locaux du cabaret.

Son enthousiasme pour les nouvelles tendances artistiques va
l'inciter à prendre le chemin de Paris, alors la vraie capitale en ce
domaine. Là-bas jaillissent les sources de ce modernisme espagnol, qu'il ne connaît que par le truchement des reproductions.

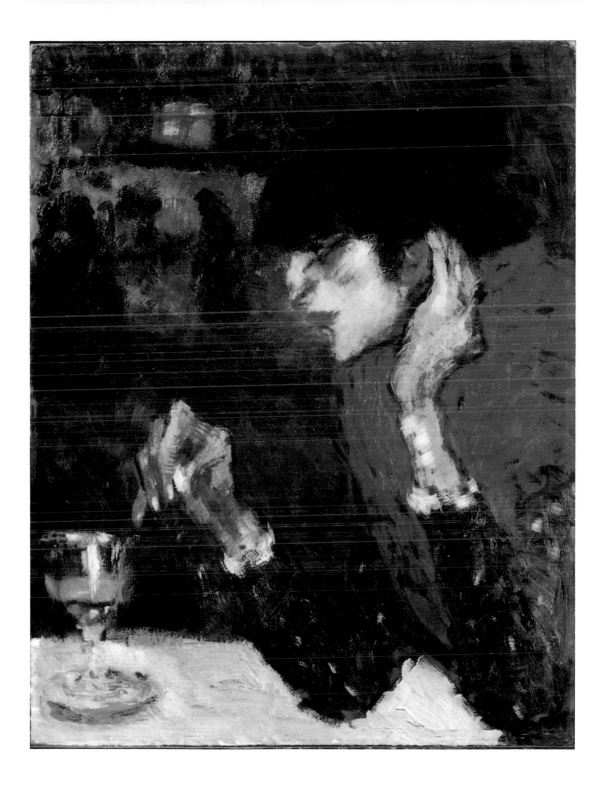

Henri de Toulouse-Lautrec le fascine; chez les marchands de tableaux il découvrira aussi Paul Cézanne, Edgar Degas, Pierre Bonnard. C'est à Paris que Picasso peut vivre le climat de liberté, d'insouciance auquel aspire son fougueux tempérament. Il y bénéficiera de l'indispensable ouverture d'esprit à ses expériences artistiques.

Un jeune directeur de galerie, Pedro Mañach, s'enflamme pour la peinture de Picasso; il lui propose tout de suite un contrat. Sans hésiter, Picasso accepte. En échange d'une livraison régulière de quelques toiles, l'artiste reçoit 150 francs par mois. Ses soucis financiers les plus lancinants sont donc momentanément surmontés. Ravi, Picasso peint plusieurs portraits de son premier directeur de galerie (ill. p. 9).

Le séjour dans la patrie espagnole n'a été que de courte durée. Il s'est senti un étranger chez ses parents. Leurs idées bourgeoises les empêchent de comprendre l'allure bohème de leur fils, sa peinture déchaînée. Leur rêve d'un Picasso accomplissant une carrière provinciale de peintre académique est déçu. Elément décisif, ils craignent que leur réputation n'y gagne rien! Erreur. A ces mauvaises expériences avec la maison familiale s'ajoute l'échec du plus ambitieux projet de Picasso, l'édition d'une revue d'art. Après quelques numéros, celle-ci a capoté. En mai 1901, déçu par le provincialisme de sa patrie, Picasso retourne à Paris.

Pour devenir un artiste accompli, Picasso a suivi une formation académique; à seize ans, il en a déjà recueilli toutes les leçons. Il s'est alors tourné vers l'art espagnol du moment, avec l'ambition – comme il le signale dans une lettre – d'être plus moderniste que les modernistes. Il atteint vite son but. En cette période d'apprentissage, seul Paris le défie encore. Là aussi, en moins d'une année, il assimilera les courants artistiques les plus novateurs.

Il crée des pastels aux tons raffinés d'un Degas, empruntant comme Toulouse-Lautrec son sujet à la vie mondaine, mais avec la liberté d'un Picasso. Il peint quotidiennement trois toiles. En des peintures telles que *La Buveuse d'absinthe* (ill. p. 11), sa période bleue s'annonce. Seule à table, elle est assise, dialoguant avec le verre placé devant elle. Mais la mélancolie ne s'impose pas encore comme thème de ce tableau, elle y est chassée par la couleur qui dissout tous les contours.

Picasso n'a pas encore trouvé son propre style. Le temps où il se frotte aux autres artistes pour trouver sa voie touche cependant à sa fin. Les périodes bleue et rose, ses premières phases de création pleinement originale, sont en vue. L'apprentissage est terminé: Picasso est maintenant lui-même.

Femme au chapeau bleu, 1901
Pastel sur carton, 60,8 × 49,8 cm
Lucerne, Galerie Rosengart

Les périodes bleue et rose
1901-1906

Dès le point de départ, un chef-d'œuvre! La période bleue est en effet inaugurée par le tableau *Evocation – L'Enterrement de Casagemas* (ill. p. 16). Cette œuvre marque à la fois la fin d'une amitié et le début d'une nouvelle phase créatrice. Durant les six années à venir, rien ne rappellera plus l'enthousiasme suscité par la vie parisienne. Naguère, au temps où Picasso et son ami Carlos Casagemas, venus de Barcelone, avaient débarqué pour la première fois à Paris, les amoureux s'embrassant ouvertement en public, les danses lascives, les mœurs ignorant toutes contraintes, avaient provoqué un choc et une libération chez les deux peintres. Pareil spectacle eût été impensable à ce moment dans la conservatrice Espagne. Ils s'étaient alors laissés séduire par cette vie débridée de la métropole mondiale. Maintenant, de retour sans son ami, le charme est rompu, l'euphorie cède à la gravité.

Repoussé dans son amour pour Germaine, un modèle, l'ami s'est suicidé dans un café parisien. Cela s'est passé en février 1901. La période bleue ne démarrera qu'en été de cette même année. Dans le laps de temps intermédiaire, Picasso s'est familiarisé avec la mort de son ami en peignant. La peinture n'est pas seulement pour lui la langue dans laquelle il s'exprime – et Picasso est en cela volubile –, c'est le moyen par lequel il accueille aussi le monde en lui, l'assimile, cherche à le comprendre. Comprendre, c'est pour lui observer, prendre conscience. Cet arrière-plan éclaire son propos: «J'ai commencé à peindre en bleu lorsque j'ai pris conscience que Casagemas était mort.» La mort de l'ami a donc déclenché la période bleue.

Mais celle-ci ne pouvait commencer que lorsque Picasso eut reconnu l'événement incompréhensible dans sa réalité. A la fin de ce processus de reconnaissance se situent les trois portraits de l'ami dans son cercueil. Pour une durée de quatre ans, ce seront les dernières toiles embrasées de couleurs. En elles, Picasso fait référence au style pictural de la grande figure tragique du XIXe siècle, à l'art de Van Gogh qui, comme Casagemas, s'est suicidé.

Aussitôt ces portraits achevés, Picasso entreprend les esquisses de son tableau *L'Enterrement de Casagemas*. Pour son ami, il organise une mise au tombeau digne d'un saint. Mais son interprétation est plutôt profane, pour ne pas dire athée. Au lieu du chœur des anges qui habituellement forment la cour de

Etude pour La Vie, 1903
Encre de Chine, 15,9 × 11,2 cm
Paris, Musée Picasso

La Vie, 1903
Huile sur toile, 196,5 × 128,5 cm
Cleveland, Cleveland Museum of Art

Evocation (L'enterrement de Casagemas), 1901
Huile sur toile, 150 × 90 cm
Paris, Musée d'Art Moderne de la Ville de Paris

«L'art n'a ni passé ni avenir. L'art qui est impuissant de s'affirmer dans le présent ne se réalisera jamais. Ce n'est pas au passé qu'appartiennent l'art grec ou l'art égyptien: ils sont plus vivants aujourd'hui qu'ils ne l'étaient hier. Le changement n'est pas l'évolution. Si l'artiste modifie ses moyens d'expression, cela ne signifie pas qu'il ait changé son état d'esprit. Tout le monde a le droit de changer, même les peintres ... Je ne m'occupe pas de «méditation». Je ne me livre pas à des «expérimentations». Si j'ai quelque chose à dire, je le dis de la manière qui me paraît la plus naturelle.»   Picasso

Les Pauvres au bord de la mer, 1903
Huile sur toile, 105,4 × 69 cm
Washington, National Gallery of Art

l'âme, enlevée sur l'étalon, des prostituées se sont groupées sur les nuages sacrés d'autrefois, n'ayant pour tout vêtement que leurs bas. Picasso accorde donc à l'âme de l'ami dans les sphères célestes les joies paradisiaques dont il avait été privé sur terre. Au registre inférieur, ceux qui restent manifestent leur douleur en des gestes pathétiques; parmi eux l'on reconnaît aussi Picasso. Ce tableau est né de sa douleur. L'expérience de la mort l'a bouleversé; elle formera, sous-jacente, le thème de toutes les toiles de sa période bleue.

Tandis que Casagemas se suicidait, Picasso découvrait presque au même moment à Tolède le tableau qui servira de modèle à son propre tableau, *L'Enterrement du comte d'Orgaz* d'El Greco. L'influence du Greco ne s'est pas limitée à l'incitation à peindre une toile. Dans ses œuvres, Picasso a capté des particularités stylistiques susceptibles de provoquer ce genre de sentiment que lui-même voulait faire résonner. Il s'agit de l'étirement des figures, de l'allongement démesuré des corps qui, chez Picasso comme chez El Greco, coupent du monde les personnes représentées. Mais dans les peintures inspirées par la foi chrétienne du Greco, la déformation des proportions exprime la sainteté de la personne représentée, manifeste la transcendance de l'événement narré. Chez Picasso en revanche, l'aspect décharné est tout autre chose qu'un signe renvoyant à une sphère divine; ses figures ne sont pas détachées mais proscrites de ce monde parce que pauvres et malades. Un second élément stylistique emprunté par Picasso, ce sont les traînées de nuages colorés qui zèbrent le fond de la scène. Elles dramatisent la narration picturale, tout en rendant imprécis l'espace dans lequel les figures se meuvent.

La mort de Casagemas a concrètement motivé cette peinture monumentale; son sujet en a déterminé la belle tonalité dominante bleue. Or cette couleur paraît appropriée à Picasso pour décrire ses sentiments de tristesse et de douleur. Il la cultivera plus de quatre ans, accentuant d'année en année sa monochromie. Sur les toiles ultérieures, le vert et le rouge ne filtrent que comme de discrètes lueurs. C'est dire que la coloration devient autonome, témoignant par là que la peinture n'est pas la simple reproduction de la réalité. Ce qui est représenté apparaît transposé, et donc art avant tout. En outre, la couleur s'étend à un ensemble d'œuvres, ce qui détermine des harmoniques avec les séries de Claude Monet, celles-ci étant fondées à vrai dire sur un même motif. Fini l'incessant changement de style du temps d'apprentissage, où Picasso s'efforçait de réagir à chaque nouvelle influence de l'extérieur. Il possède maintenant son propre style. Le bleu est l'estampille irréductible de ses tableaux; c'est son premier sceau.

Mais rien n'est encore gagné; seules quelques personnes connaissent l'Espagnol tout juste âgé de vingt ans. Il habite misérablement dans un atelier mansardé que lui a procuré Pedro Mañach. C'était auparavant le lieu de travail de Casagemas; là fut peint le tableau de son enterrement. Une fois achevé, celui-ci est détourné de sa fonction pour servir de paravent peint, dissimulant le désordre créatif dont Picasso s'entoure partout: c'est sa façon de prendre possession d'un endroit, une habitude qu'il

n'abandonnera pas, même lorsqu'il occupera de spacieuses villas. Le désordre, il le ressent comme un stimulant; il se met franchement à philosopher dès qu'il évoque la juste organisation d'un chaos ordonné.

Peu de tableaux sont produits à cette époque; Picasso est à nouveau en proie à l'instabilité. Plus tard aussi il changera souvent de domicile, mais cela n'aura plus la signification d'un choix entre la patrie et l'exil volontaire. Il se rend à nouveau à Barcelone, revient à Paris peu après, qu'il quitte encore pour l'Espagne au printemps 1903.

Finalement, il s'installe pour une année à Barcelone et se remet au travail avec un élan nouveau. L'un des premiers tableaux produits est sa toile allégorique *La Vie* (ill. p. 14). Picasso l'a préparé en d'innombrables esquisses. Rien n'est ici spontané, accidentel, tout est calculé d'avance, mais tout n'est pas pour autant compréhensible par la suite. L'assurance dont fait montre l'artiste en exposant son sujet provoque l'insécurité du spectateur. Où se situe la scène? Est-ce dans l'atelier de l'artiste, comme une esquisse (ill. p. 15) le laisse à penser? Or le chevalet qu'on y voit a disparu dans le tableau. L'homme accroupi, replié sur lui-même, dans la moitié inférieure de la toile, se conçoit comme un tableau dans le tableau, renvoie donc à un atelier d'artiste. C'est dire que les scènes de plus petit format au centre de la toile relèvent aussi d'un second plan de réalité et séparent les personnages debout. L'impression qui se dégage de la toile est celle d'une fragmentation en divers éléments; les figures apparaissent juxtaposées l'une à l'autre, sans rapport entre elles. Picasso a voulu manifester, par les quatre grands secteurs qui composent l'ensemble de la toile, quatre formes différentes d'existence: un solitaire privé de tout amour et abandonné à lui-même, un couple enlacé, une mère dorlotant son enfant et, face à elle, un homme et une femme incarnant l'amour charnel (Picasso a une nouvelle fois donné au visage de l'homme les traits de son ami peintre décédé, Casagemas). C'est la vie qui se définit par là, entre la perte de l'amour et son accomplissement.

La période bleue s'ouvre avec la mort de Casagemas qui s'est suicidé faute d'avoir obtenu réponse à son amour. S'ils n'abordent pas expressément le thème de la mort, les tableaux suivants évoquent à tout le moins la solitude, le manque d'affection. *Les Pauvres au bord de la mer* (ill. p. 17) l'expriment clairement. Voici une famille où chacun s'isole. Des gens sans vie, ils demeurent raides comme des statues. Rien alentour ne laisse espérer la fin de leur isolement. Seul l'enfant esquisse un geste, maintient sa tête encore droite. Les personnages sont drapés et semblent vouloir se cacher dans leurs vêtements, mais l'impression qui s'en dégage est celle de la nudité, de la pauvreté nue. En de tels tableaux, le pathétique de Picasso s'exhale sans détour.

Picasso lui-même partage le sort misérable des personnages de ses toiles; comme eux, il est aussi seul, mais plus pour longtemps. Ayant entassé dans des caisses tout son bien, pour la quatrième fois il retourne à Paris: c'est le départ définitif pour la France. Il prend ses quartiers au cœur de la bohème parisienne, dans un complexe d'ateliers en ruine à la rue Ravignan, à Montmartre, baptisé le «Bateau-lavoir» par Max Jacob, le poète ami de

Femme à la corneille, 1904
Fusain, aquarelle et pastel sur papier,
64,6 × 49,5 cm
Toledo, Toledo Museum of Art

Famille d'acrobates, 1905
Crayon et fusain, 37,4 × 26,9 cm
Paris, Musée Picasso

«Je ne crois pas avoir employé des éléments différents dans mes différentes manières. Si le sujet appelle tel moyen d'expression, j'adopte ce moyen sans hésiter. Je n'ai jamais fait ni essais ni expériences. Toutes les fois que j'ai eu quelque chose à dire, je l'ai dit de la façon que je sentais être la bonne. Des motifs différents exigent des méthodes différentes. Ceci n'implique ni évolution ni progrès, mais un accord entre l'idée qu'on désire exprimer et les moyens d'exprimer cette idée.»
PICASSO

Mère et enfant (Baladins), 1905
Gouache sur toile, 90 × 71 cm
Stuttgart, Staatsgalerie

Picasso. Dans cette bizarre masure, l'artiste rencontre comme par hasard Fernande Olivier, sa première compagne d'existence pour une longue période. La constante précarité de ses moyens financiers n'en est pas atténuée; Fernande possède toutefois un indéniable talent pour obtenir une fois de plus crédit chez le marchand du coin. Elle a encore un autre mérite: pour la première fois, malgré son instinct prononcé de nomade, Picasso devient sédentaire. Sept ans durant, il se lie d'amitié avec «la belle Fernande». Il l'aurait même épousé, car en cette matière il possède un grand cœur, mais elle lui refusera toujours son consentement. Don José, le père de Picasso, ne peut croire que Fernande soit si entêtée et il conseille à son fils de se montrer encore plus déterminé. Ce que tous deux ne savent pas, c'est que Fernande est déjà mariée.

Fernande, Picasso et les autres occupants du «Bateau-lavoir» se retrouvent généralement au cabaret du Lapin agile. Y viennent parfois aussi les poètes Apollinaire et Max Jacob. Ce qui rend le café attirant, c'est que son patron Frédé accepte aussi des peintures en guise de paiement. Il parviendra ainsi à rassembler une collection impressionnante, comptant naturellement une œuvre de Picasso, intitulée *Au Lapin agile*. Dans cette composition du temps où l'artiste s'inspirait de Toulouse-Lautrec, Picasso est habillé en arlequin, et Frédé joue de la guitare.

La toile *Femme à la corneille* (ill. p. 19) montre la fille de l'aubergiste Frédé. Ses doigts délicats exagérément allongés posés contre le corps de l'oiseau, elle lui donne un baiser. Le visage clair est défini par le seul crayon; le papier transparaissant à travers les hachures s'identifie à la pâleur de la peau. Une douce lumière semble glisser sur le visage, dégageant au mieux le modelé des traits délicats de la jeune fille. Une mèche de ses cheveux, ciselés un à un, tombe en légère ondulation le long de la tempe. L'oiseau noir en revanche récuse toute plasticité; il n'est qu'une noire surface d'où émergent des pattes crochues. Le bleu est passé à l'arrière-plan, cédant à un rose délicat, presque ambré à certains endroits pour définir le mince vêtement recouvrant le corps gracile. Dans cette phase de passage vers la période rose, Picasso savoure ses talents épanouis de peintre qui l'engagent à célébrer la beauté.

Ne subsiste qu'un léger voile de tristesse. La douleur du monde n'est plus amère: elle a pris un accent de tendresse, de sorte qu'on peut s'y complaire. Semblable climat se dégage aussi de *Mère et enfant (Baladins)*. Ils viennent de quitter la scène; le fils porte encore son costume. La mère s'est enveloppée dans un châle, elle a piqué une fleur dans ses cheveux retenus en un chignon. Qu'importe sa douleur lorsqu'on admire les traits classiques de son visage; comment s'inquiéter de la frugalité du repas lorsqu'on savoure dans l'assiette un tel raffinement pictural! La période bleue proposait encore une correspondance entre la surface lisse, distante de la toile, et l'isolement des personnages. Ici la couche picturale s'est faite toute mince, sans donner l'impression – bien au contraire – de froideur et d'indigence. Les traces d'une couleur très diluée confèrent plutôt une certaine préciosité à l'image. Que la pauvreté peut donc être belle!

Mère et enfant, 1904
Crayon, 34 × 26,6 cm
Cambridge (Mass.), Fogg Art Museum,
Harvard University

«C'est de la blague de supprimer le sujet.
C'est impossible. C'est comme si tu
disais: «Faites comme si je n'étais pas là.»
Ça, essaie ... Un guerrier, naturellement,
s'il n'a pas de casque, pas de cheval et pas
de tête, il est beaucoup plus facile à faire.
Mais, alors moi, à ce moment-là, il ne
m'intéresse absolument pas. A ce
moment-là, cela peut être un monsieur
qui prend le métro. Moi, ce qui m'intéresse dans le guerrier, c'est le guerrier.»

Picasso

«Je ne cherche pas, je trouve.»   Picasso

Femme à la chemise, vers 1905
Huile sur toile, 73 × 59,5 cm
Londres, Tate Gallery

On ne s'étonnera pas que ces tableaux comptèrent bientôt parmi les plus chers de la production de Picasso. John Berger en a fait un commentaire cynique et pertinent: «Les riches aiment à songer à la solitude des pauvres: leur propre solitude ne leur pèse plus comme un sort à eux seuls réservé. C'est l'une des raisons de l'intérêt que les riches portent aux toiles de cette période.» Picasso avait d'abord organisé des expositions à Barcelone et à Madrid; il y avait vendu quelques toiles, mais le succès décisif se faisait encore attendre. Celui-ci n'éclatera qu'après la période rose, lorsque les marchands intéressés par son travail seront toujours plus nombreux. Il en est encore à faire provision de ses œuvres.

L'un de ces tableaux, c'est le portrait de *La Femme à la chemise* (ill. p. 23). Depuis ses toutes premières œuvres, Picasso s'est sans cesse voué au portrait. Outre de nombreux autoportraits au crayon, à la plume, à l'huile, il a d'abord représenté sa propre famille – son père, sa mère, ses sœurs, sa tante Pepa –, ensuite les amis et artistes, son tailleur Soler, la borgne entremetteuse Célestine, les marchands de tableaux. L'intérêt qu'il manifeste pour ce genre pictural n'est pas fortuit, puisque celui-ci oblige fatalement le spectateur à se sentir impliqué. Désormais, en 1905, après la fin de la période bleue, ce ne sont plus les sentiments de solitude et d'isolement qui se dégagent des toiles. Au contraire, la tête légèrement détournée, le regard droit et lucide, le port vertical de la jeune fille aux bras ballants, expriment la conscience qu'elle a d'elle-même. Certes, dans les toiles de la période bleue, il y avait aussi des nus; ils n'apparaissaient cependant guère attrayants, ne dégageaient pas ce pouvoir de séduction érotique comme la femme à la chemise. Celle-ci en revanche le possède à un haut degré, ne serait-ce que par l'effet de transparence de la chemise laissant entrevoir un corps jeune et tendre, et qui n'a aucun rapport avec les lourds vêtements qui, sur quelques peintures antérieures, dissimulaient tout. A nouveau le spectateur se délecte ici de délicatesses picturales, par exemple des minces filets de couleur qui sillonnent sur le fond du tableau – rien à voir avec les dramatiques traînées de couleurs dans le style du Greco.

Le fossé entre les deux périodes est par conséquent beaucoup plus large qu'on ne le pressentirait au premier abord; il n'est nullement le seul fait des moyens formels mis en œuvre: la thématique subit elle aussi une modification essentielle. Jongleurs, funambules, arlequins relaient mendiants, aveugles et infirmes; pauvreté et dépression font place à la muse du divertissement. Certes, ce sont des amuseurs tristes, tels que déjà la peinture, d'Antoine Watteau à Paul Cézanne, les avait représentés. Mais ils ne se tiennent pas seulement du côté sombre de l'existence; ils ne sont pas nés perdants. Plusieurs fois par semaine, Picasso va les voir avec ses amis au cirque Medrano, dont la tente rose brille au loin, au pied de Montmartre, tout près de son atelier.

En de tels tableaux, Picasso définit le sentiment existentiel d'une génération sensible. Apollinaire et tant d'autres, errant sans patrie dans les villes, se sentent les parents du peuple nomade du cirque. Parmi eux, il faut citer aussi Rainer Maria Rilke,

Meneur de cheval nu, 1906
Huile sur toile, 220,3 × 130,6 cm
New York, Museum of Modern Art

qui chaque jour peut contempler à Munich, chez son hôtesse Herta von Koenig, le tableau de Picasso *Les Bateleurs* (ill. p. 25). Dans sa cinquième *Elégie de Duino*, dédiée aux saltimbanques, Rilke a prolongé par la poésie la peinture de Picasso: «Mais les Errants, dis-moi, qui sont-ils, ces voyageurs / fugaces un peu plus que nous-mêmes encore, hâtés, pressés, / précipités très tôt; (...) comme si l'air était d'huile, / et plus lisse et poli, d'où ils glissent / pour revenir sur le tapis usé, rongé / par leur élan perpétuel; – ce tapis, / perdu dans l'univers.»

Les bateleurs ramènent dans les toiles des objets: la corbeille à l'élégante courbure de la fillette, le sac rejeté sur l'épaule du prestidigitateur, le tambour que le garçon hisse sur ses épaules, la cruche posée près de la femme du premier plan. Ce sont des accessoires qui, certes, n'éveillent aucune anecdote, mais ils contribuent tout au moins à caractériser les personnages. De même, les relations entre eux ne sont pas appuyées; cela se lit le plus clairement dans la spontanéité avec laquelle l'arlequin tient la fillette par la main. Les personnages, aussi bien que les objets, récusent tout récit. Picasso ne raconte rien dans ces toiles, il décrit un état.

Le climat de ses œuvres demeure encore frileux. Y contribuent pour une large part l'écart entre l'habillement des personnages et l'espace qu'ils occupent. Ils sont costumés comme pour une représentation; or ils ne sont pas sur la piste mais dans un morne paysage de dunes étendues à l'infini. En une telle solitude, privés de spectateurs, coupés de l'atmosphère du cirque, les bateleurs nous apparaissent comme des déracinés. Leur costume est porteur encore d'un autre élément: ce sont des collants, qui donnent l'impression d'une deuxième peau, bariolée, mettant en valeur la plasticité des corps. Comme nous sommes loin des personnages drapés de la période précédente! Cet intérêt nouveau de Picasso pour le rendu de formes tridimensionnelles peut avoir été favorisé par ses premiers essais, contemporains, en sculpture.

Dans ce tableau de la famille des bateleurs, Picasso se rapproche à nouveau des idéaux classiques de la beauté. L'allongement des figures a disparu; les gestes ne possèdent plus cette tension maniériste de naguère; le contrapposto observé par les corps, les pieds remarquablement écartés, semblent s'être imposés aux acteurs de ce tableau. A cette époque, Picasso visite souvent les salles hellénistiques et romaines du Louvre. Tout se passe comme s'il voulait démontrer encore une fois, peu avant de donner congé par le cubisme aux canons classiques de la beauté, qu'il en a bien étudié les règles.

Meneur de cheval nu (ill. p. 24), fait la démonstration de la science de Picasso en matière de beauté classique. Pour cela, quel meilleur motif que celui du jeune homme? Il doit être nu bien sûr, afin de pouvoir mettre en évidence l'équilibre des proportions. La relation elle-même de la figure à l'espace environnant n'irrite plus; homme et nature ont retrouvé l'harmonie. L'affirme le choix des couleurs, qui fait fusionner tous les éléments du tableau, sans abandonner pour autant les couleurs locales de la réalité. L'homme et l'animal avancent ensemble, liés l'un à l'autre par le rythme du pas et l'inflexion de la tête. Seul, le lien

«Mais c'est une chose importante, le succès! On a souvent dit qu'un artiste devait travailler pour lui-même, pour l'«amour de l'art», et mépriser le succès. C'est faux! Un artiste a besoin du succès. Et non seulement pour pouvoir en vivre, mais surtout pour réaliser son œuvre. Même un peintre riche doit avoir du succès. Peu de gens comprennent quelque chose à l'art, et il n'a pas été donné à tout le monde d'être sensible à la peinture. La plupart jugent l'œuvre d'art d'après le succès. Pourquoi laisser alors le succès aux «peintres à succès»? Chaque génération a les siens. Mais où est-il écrit que le succès doit aller toujours à ceux qui flattent le goût du public? Moi, je voulais prouver qu'on peut avoir du succès envers et contre tous, sans compromission. Voulez-vous que je vous dise? C'est le succès dans ma jeunesse qui est devenu mon mur de protection. L'époque bleue, l'époque rose, c'étaient des paravents qui m'abritaient.» PICASSO

matériel du licol fait défaut, ce qui du même coup supprime la motivation concrète de tout mouvement dans cette toile, compréhensible seulement par le déroulement d'une action. S'y substitue un lien imaginaire entre l'homme et la nature, que soude l'harmonie de leur mouvement fondé sur la grâce et les parfaites proportions. Comme dans une statue antique dont les éléments les plus fragiles se sont brisés et ont disparu, tout n'est plus que beauté admirable.

Les fréquentes visites au Louvre influent de plus en plus nettement la production picturale de l'année 1906. *La Toilette* (ill. p. 27) montre Fernande coiffant sa chevelure marron. En soi, une

Les Bateleurs (Famille de saltimbanques), 1905
Huile sur toile, 212,8 × 229,6 cm
Washington, National Gallery of Art

La Toilette, 1906
Huile sur toile, 151 × 99 cm
Buffalo (N.Y.), Albright-Knox Art Gallery

image de la vie privée, intime même, cependant très éloignée d'une scène de genre dans un boudoir. Fernande est en ce moment pour Picasso la déesse de l'amour, son symbole de la beauté féminine, sa Vénus dans le quotidien de l'existence. Il peut donc s'inspirer d'antiques statues de Vénus pour transposer leurs formes conventionnelles en sa propre déesse de la beauté. Le résultat, c'est une statue de chair et de sang, que l'on admire à distance tout en la désirant intérieurement. Tout paraît naturel, qu'il s'agisse de la position des jambes dans un contrapposto inévitable, des bras ramenés au-dessus de la tête, de la gracieuse inflexion de celle-ci vers le miroir – et pourtant là, tout n'est que beauté disposée sur le mode classique. Le sujet proprement dit du tableau est ainsi donné. Il ne s'agit pas de la beauté pour elle-même, mais de sa mise en scène. En accomplissant les gestes de sa toilette, Fernande ne fait qu'exalter des séductions déjà largement offertes. Elle se sert dans ce but du miroir, où elle s'admire dans cette mise en scène de la beauté, tandis que Picasso, pour sa part, la présente ici comme une beauté déjà accomplie. Par son tableau, tout comme la servante dans la toile, il tend respectueusement un miroir à Fernande.

Le sommet est momentanément atteint dans l'accomplissement de sujets classiques. Picasso a brillamment étalé ses connaissances des sources antiques; il a montré comment les traditions classiques pouvaient être actualisées. De manière tout à fait accessoire, il a également prouvé qu'il pouvait sans le moindre effort satisfaire à toutes les exigences techniques de la peinture. Rien n'est alors plus tentant que de mettre en question précisément ces traditions de la peinture. Le cubisme de Picasso ne se contentera pas de susurrer quelque doute au sujet de la tradition: il révolutionnera la peinture. Il mettra fin à un développement plus ou moins continu de la peinture occidentale.

Le pathos affiché de la période bleue, l'esthétisme charmeur de la mélancolie de la période rose, ne peuvent trouver un prolongement dans la peinture cubiste. Ce n'est qu'après cette phase cubiste que Picasso se replongera dans la tradition formelle. Alors, il ne prendra plus pour modèle la sculpture antique, mais rivalisera bien plutôt avec la peinture néo-classique.

Picasso dessinateur et graveur

Contrairement à la peinture toujours imitative, «seul le dessin au trait n'est pas imitation». Exprimée en automne 1933 au cours d'un entretien avec Daniel-Henry Kahnweiler, son marchand de tableaux et ami de longue date, cette réflexion de Picasso accorde au dessin la priorité dans la transposition plastique immédiate de son pouvoir d'invention. Une deuxième citation de Picasso définira plus clairement sa conception de l'art: «Ce n'est pas ce que l'artiste fait qui importe, mais ce qu'il est.» Or ce que l'artiste est – pour prolonger les mots de Picasso – ne se réalise que dans une spontanéité sans entrave, originelle.

Les dessins d'enfant de Picasso montrent l'élan d'une ligne conduite avec sûreté et celui de raccourcis expressifs. Le garçon de neuf ans est capable de rendre en une seule ligne incurvée le dos d'un taureau à l'attaque dans l'arène; son vif mouvement pendulaire du crayon suffit pour croquer le parasol de la dame qu'il observe, tandis qu'ailleurs des têtes s'échaffaudent en faisceaux de traits et que de sauvages courbes en huit meublent les marges des cahiers.

Encore signée «P. Ruiz», une étude de 1894–1895 reproduite ici montre la parfaite maîtrise d'un dessin modelant un torse en plâtre par ombres et lumières.

Le Repas frugal, 1904
Eau-forte, 46,5 × 37,6 cm
New York, Museum of Modern Art

Etude d'un torse, d'après un plâtre, 1894–1895
Fusain, 49 × 31,5 cm
Paris, Musée Picasso

Picasso utilise ici le fusain; dans le grain grossier du papier, il sait traduire l'arrondi des muscles avec une telle douceur que la légère éraflure du modèle de plâtre apparaît non seulement visible mais presque tangible sur le papier. Il ne s'agit donc pas du torse idéalisé d'une figure masculine, mais d'un moulage en plâtre d'une statue de pierre, éclairé latéralement, caractérisé en outre comme tel par les minces lignes de profil du socle.

Ces travaux de caractère plutôt académique emportent l'adhésion des maîtres de Picasso à l'Ecole des beaux-arts. Au sens académique, ils sont en effet parfaits, mais ils n'accordent que peu de latitude en Picasso à l'artiste. Ils éblouissent surtout le père de Picasso, le brave professeur d'art Don José Ruiz Blasco, qui remet en 1894 à son fils de treize ans sa propre palette, avec le bouleversant propos de ne plus jamais peindre. Dès ce

moment, Pablo Ruiz signe «Picasso», du nom de sa mère. Le dessin d'un homme nu debout, qu'on prendrait plutôt pour un travail de diplôme, ouvre la porte de l'académie de Barcelone à Picasso, autorisé à sauter les deux premières classes.

En octobre 1897, il accède à la classe supérieure de l'Académie royale de Madrid en présentant un dessin très vite achevé. Un mois plus tard, il écrit à un ami: «Je ne veux pas m'enfermer dans une seule école, car cela mène à un nivellement parmi ses adeptes.» Encore un mois et il quitte l'Académie, en décembre 1897. Les dessins du jeune Picasso exécutés entre 1895 et 1900 – paysages, portraits, même les menus composés pour son café préféré à Barcelone, Els Quatre Gats – attestent un don très subtil d'observation, allié à un sens impressionnant de la concision. Loin d'un naturalisme obtenu par un faisceau de traits «concrets» laborieusement agencés, loin d'une copie du visible dans sa matérialité, ce sont les réactions aux objets choisis, modulés par sa propre expérience de plasticien, qu'il dépose sur le papier, apparemment sans peine, en se servant du crayon, du fusain, de l'encre de Chine ou de la plume.

Femmes assise et debout, 1906
Fusain, 61,2 × 46,4 cm
Philadelphie, Philadelphia Museum of Art

Sculpteur et modèle à la fenêtre avec tête
sculptée renversée, 1933
Eau-forte, 36,7 × 29,8 cm
Planche 69 de la «Suite Vollard»

Sculpteur faisant tourner sur son socle une
tête sculptée, le modèle étant assis, vers 1933
Eau-forte, 26,7 × 19,4 cm
Planche 38 de la «Suite Vollard»

Femme nue debout, 1911
Fusain, 48,5 × 31 cm
New York, Metropolitan Museum of Art

Les cahiers d'esquisses renseignent au mieux sur sa manière de travailler. La reprise incessante d'un motif conduit Picasso à d'infinies variations, aux modifications souvent infimes: leur but n'est pas d'«améliorer» une esquisse, mais d'en élargir consciemment, sans arrêt, les virtualités jusqu'à épuisement. Ainsi n'existe pas pour Picasso la formulation finale, définitive, d'un motif. Les diverses variations de chaque cercle thématique forment dans leur intégralité des œuvres autonomes. Elles réagissent entre elles comme les reflets d'un seul et même objet sur les facettes multiples d'un verre bien poli.

Outre le dessin et, bien sûr, la peinture et la sculpture, la gravure forme une autre part propre de son œuvre, témoignant là aussi de l'art et du faire artisanal de Picasso. Initié par des maîtres reconnus aux techniques d'impression en creux, il sait en exploiter dès sa deuxième eau-forte, Le Repas frugal (ill. p. 28) de 1904, les possibilités expressives: l'âpreté des tailles, leur réseau serré accentuent, dans cette dernière grande œuvre de la période bleue, l'atmosphère triste et grave des peintures précédentes, au point d'en arriver à un réalisme impitoyable.

Peu de temps après, à Paris et à Gosol, en Catalogne, où Picasso passe l'été 1906 avec sa compagne Fernande, naissent les superbes gouaches et aquarelles de la période rose. Leurs motifs sont les gens du cirque et des nus féminins; le dessin du modelé y cède à une souple ligne de contour qui donne aux figures une grâce

presque «classique». Le style de Picasso paraît évoluer sans discontinuité. Prenons comme exemple le dessin au fusain *Femmes assise et debout* (ill. p. 28) exécuté en 1906 durant les travaux préparatoires à une huile de grand format où des corps arrondis d'une lourde plasticité

Visage (Marie-Thérèse Walter?), 1928
Lithographie, 20,4 × 14,2 cm

occupent le premier plan. Comparons-le au nu féminin de la période du cubisme analytique, 1911 (ill. p. 29), exécuté dans la même technique. Leur confrontation permet d'évaluer toute la distance parcourue dans l'étendue des expériences, d'évaluer la puissance d'invention et de mise en œuvre plastique dans l'œuvre de Picasso.

L'œuvre gravé de Picasso comporte plus de 2000 planches réalisées dans les techniques les plus variées. En ce qui concerne l'impression en relief, il a peu pratiqué la gravure sur bois et n'a découvert qu'à un âge avancé les ressources de la linogravure, exploitées alors à sa manière. En revanche, parmi les techniques de l'impression en creux et à plat, l'eau-forte et la lithographie tiennent une place prééminente. C'est que ces deux techniques semblent opposer le moins de résistance à l'exigence originale de la spontanéité du «dessin» chez Picasso et par conséquent correspondre au mieux à la fluidité de son écriture.

Picasso est constamment à l'affût de nouvelles possibilités de transposition de ses idées plastiques. D'où le recours fréquent à des techniques mixtes d'impression, par exemple eau-forte et pointe sèche ou eau-forte et aquatinte. Une particularité de son œuvre gravé est la reprise d'une technique tombée en désuétude, celle des réserves au sucre. L'artiste dessine sur la plaque en utilisant de l'encre de Chine et une solution de sucre. Ce dessin est ensuite couvert d'une mince couche de vernis au bitume.

Minotauromachie, 1935
Eau-forte et pointe sèche, 49,5 × 69,7 cm
New York, Museum of Modern Art

Minotaure et femme nue, 1933
Encre de Chine sur papier bleu, 47 × 62 cm
Chicago, Art Institute of Chicago

Après séchage, le cuivre est mis à l'eau; le sucre se dissout et fait partir le vernis qui le recouvre. Les réserves ainsi obtenues, la plaque sera pourvue d'un grain et mordue. L'exemple le plus extraordinaire de l'application de ce procédé est l'aquatinte et eau-forte de 1936, *Faune dévoilant une femme* (ill. p. 31). Grandiose monument de l'art graphique, la *Suite Vollard* (ill. p. 29) – ainsi nommée d'après son éditeur Ambroise Vollard, l'ami et le marchand de Picasso – réunit 100 eaux-fortes réalisées entre 1930 et 1937. Le thème récurrent de *L'Atelier du sculpteur* y occupe la majeure place, en une série de 46 planches. Celles-ci montrent dans une attitude à la fois grave et sereine, sous des angles toujours changeants, le sculpteur et son modèle; elles témoignent d'une période de bonheur dans la vie de Picasso où, dans le calme du château de Boisgeloup, il se consacre presque entiè-

rement à la sculpture. Comme dans ses dessins anciens, Picasso recourt presque exclusivement à une souple ligne de contour qui, dans la technique de l'eau-forte, est exploitée avec une telle maîtrise qu'elle suffit à rendre prégnant le modelé lui-même du corps.

A la *Suite Vollard* appartiennent aussi cinq planches sur le thème de «L'étreinte», où la pureté linéaire classique disparaît, faisant place à un incroyable enchevêtrement dynamique des tailles. Par le motif, par le style, elles sont étroitement apparentées au dessin rehaussé de lavis, de grand format, *Minotaure et nu féminin* (ill. p. 30) de 1933, au mouvement proprement baroque allié à la sensualité des formes corporelles.

Le mythe du Minotaure, monstre à corps d'homme et tête de taureau, occupe une place grandissante au cours des années trente, surtout dans le dessin et la gravure de Picasso. Tantôt il triomphe avec une sauvagerie bestiale, tantôt il prend part, détendu, à un festin dans l'atelier du sculpteur, tantôt il s'effondre mortellement blessé dans l'arène, tantôt il caresse maladroitement une beauté endormie. Dans la *Minotauromachie* (ill. p. 30) de 1935 – sûrement la pièce capitale de tout l'œuvre gravé de Picasso et l'une des gravures les plus importantes du XXe siècle –, le monstre apparaît pitoyable, aveugle et tâtonnant dans le vide, guidé dans l'obscurité par une petite fille tenant une bougie. Au centre de la représentation, entre la fillette et le Minotaure, un cheval apeuré, les naseaux flairant la tragédie tandis que ses entrailles se répandent hors de son ventre déchiré; sur son dos pend le corps d'une femme torero, la poitrine dénudée, mortellement blessée, alors qu'à gauche un personnage barbu, tête de Christ, gravit une échelle. Légende antique, monde de la corrida et association au christianisme se fondent ici en une allégorie échappant à toute tentative d'interprétation.

Le motif de *La mort de la femmetorero*, Picasso l'avait au préalable traité en divers dessins, eaux-fortes et peintures. Une eau-forte de l'année 1934 met en scène le viol d'une femme-torero par le taureau. Dans un dessin à l'encre de Chine sur bois, d'autre part, surgit également dès 1934 un motif repris dans la *Minotauromachie*, celui du taureau qui, de sa gueule, arrache les entrailles du cheval blessé. En bordure de l'arène, une femme tient une bougie face au taureau. En vertu de maint parallélisme thématique, on a souvent rapproché cette *Minotauromachie* de l'immense toile *Guernica* (ill. p. 68–69), dans laquelle Picasso a formulé en 1937 une impressionnante protestation contre le régime de Franco et la brutalité de la guerre. Plusieurs œuvres de Picasso prennent position contre la cruauté de la guerre. Son eau-forte *Songe et mensonge de Franco*, 1937, déroule ainsi

Faune dévoilant une femme, 1936
Eau-forte et aquatinte, 31,6 × 41,7 cm
New York, Museum of Modern Art

Portrait du marchand de tableaux Ambroise
Vollard, vers 1937
Aquatinte au sucre et réserves au vernis sur
cuivre, 34,8 × 24,7 cm

Deux buveurs, vers 1933
Eau-forte, 23,7 × 29,7 cm
Planche 12 de la «Suite Vollard»

en une sorte de bande dessinée une violente séquence imagée satirique, qui caricature avec ironie l'action de Franco contre la justice, l'humanité et la culture. Les quatre dernières scènes de cette eau-forte se situent en relation avec les esquisses de *Guernica*. La même année, Picasso écrit: «Les artistes qui vivent et travaillent selon des valeurs spirituelles ne peuvent pas et ne doivent pas demeurer indifférents au conflit dans lequel les plus hautes valeurs de l'humanité et de la civilisation sont en jeu.» L'une des lithographies les plus connues de Picasso, sa *Colombe de la paix*, a orné l'affiche du Congrès de la Paix, tenu en 1949 à Paris (ill. p. 64).

L'eau-forte conjuguée à d'autres techniques a longtemps dominé l'œuvre gravé de Picasso. Mais, après quelques essais antérieurs tel le *Visage* (ill. p. 29) de 1928, c'est la lithographie qui, à partir de 1945, gagne en importance dans sa création artistique. Cette année, en un tempo rapide naissent près de trente œuvres, au

cours des cinq années suivantes environ deux cents et, jusqu'en 1962, au total trois cent cinquante lithographies. La confrontation avec cette technique est à ce point intense que Picasso interrompt complètement pendant près de trois ans, jusqu'en 1948, sa production d'eaux-fortes.

Comme dans le dessin, rien n'est, pour Picasso, formulé définitivement en lithographie. Dans l'atelier du lithographe parisien Mourlot, il fait multiplier les épreuves des divers états, qui constituent les «métamorphoses d'une image». C'est une sorte de passion du jeu qu'il trans-

Paloma Picasso, 1952–1953
Encre de Chine, 65,5 × 50,5 cm

pose dans l'exercice de la technique, obtenant cette maîtrise à même de choisir librement ses moyens d'expression. Picasso a traité en lithographie tous ses thèmes traditionnels; il y privilégie cependant le portrait, la nature morte, la figure individuelle et les animaux. *Le Taureau* (ill. p. 31) de 1945, servira ici d'illustration de la haute perfection technique acquise par Picasso dans cette discipline. L'artiste l'a imprimé en onze états différents, conduisant ses formes jusqu'au dessin de contour le plus abstrait.

En 1959, Picasso conquiert une nouvelle technique. Apparaissent alors ses premières linogravures en couleurs, reproduites dans cet ouvrage, œuvres importantes où il utilise souvent jusqu'à sept plaques superposées. Plus tard, il adoptera un autre parti, en tirant toutes les couleurs avec le même linoléum, chaque fois repris à la gouge. La richesse des lignes, des surfaces, des formes, en fait des chefs-d'œuvre de la gravure du XXe siècle.

Le Taureau, 1945
Lithographie, 29 × 41 cm
Paris, collection Bernard Picasso

Le Déjeuner sur l'herbe, 1962
Linogravure, 53 × 64 cm

Le cubisme
1907-1917

«L'art est un mensonge.» Celui qui l'a affirmé est lui-même un artiste: Picasso. Bien avant lui, un écrivain romain, Pline, l'avait déjà pensé et, pour le prouver, rapporta une anecdote sur la virtuosité du peintre Zeuxis. Ce peintre avait en effet peint les grappes de raisin si fidèlement que les oiseaux rasaient le mur pour venir les picorer. Le mensonge, cette vérité inventée, avait rempli son rôle; fiction et réalité se confondant, des oiseaux tout à fait réels s'étaient laissés abuser par des raisins peints. L'art est donc réellement un mensonge – et, en revanche, ce mensonge est tout un art. A dire vrai, Picasso n'a jamais eu l'intention de tromper en donnant l'illusion de la réalité. Les impressionnistes et leurs successeurs avaient déjà enterré ce mythe séculaire. Mais à lui est revenue la mission de briser définitivement cette tradition en inventant le cubisme.

En lieu et place de la perspective centrale, intervient une optique qui multiplie les angles de vue simultanés sur l'objet représenté. La géométrie du tableau, régie par la perception de la réalité extérieure, s'élargit en une structure formelle autonome, se développant à partir du tableau lui-même; l'éclairage contrôlable modulant l'espace du tableau cède à une répartition des lumières et des ombres variant d'un élément à l'autre de la toile.

Remettons-nous une fois encore en mémoire la période rose qui précède le cubisme. Le fossé creusé à l'intérieur de l'œuvre de Picasso, la dimension de sa révolte contre l'art occidental sautent alors aux yeux. Seules une nouvelle perception de la réalité, une nouvelle méthode pour appréhender la vérité, ont rendu possible cette rupture des normes. Comme le montre la confrontation de deux autoportraits, s'opère à la base, pour soutenir pareil bouleversement, une mutation dans le regard que Picasso porte sur lui-même.

L'Autoportrait à la palette (ill. p. 2), est créé en automne 1906. Les débuts du cubisme se situent peu auparavant; pourtant, cette toile n'en donne presque aucun signe. Le pouce tenant la palette équivaut à un aveu, trahissant la période à laquelle cette toile appartient encore. Il est à la fois doigt et tache de couleur, élément relevant et de l'homme-peintre et de sa peinture, il est rose. Seul le visage revêt déjà l'aspect d'un masque, brutalement découpé par l'ombre sous le menton ou le long de la joue. La ligne gagne en force dans l'organisation formelle; là précisément nous est fournie une indication quant à l'avenir.

Le Réservoir, Horta de Ebro, 1909
Huile sur toile, 60,3 × 50,1 cm
New York, collection particulière

Autoportrait, 1907
Huile sur toile, 50 × 46 cm
Prague, Narodni Galerie

Dans l'*Autoportrait* exécuté peu après, au printemps 1907 (ill. p. 32), la ligne assume désormais le rôle majeur dans la création formelle. Les larges et rapides tracés au pinceau définissent les traits du visage. Ils délimitent aussi les autres plans de la toile, remplis d'une couleur presque sans modulation. En plusieurs endroits, la toile est même laissée vierge. A cette même époque, Picasso entreprend les esquisses de son tableau *Les Demoiselles d'Avignon*. Non seulement la forme représentée a changé, mais

En haut:
Les Demoiselles d'Avignon, 1907
Huile sur toile, 243,9 × 233,7 cm
New York, Museum of Modern Art

A gauche:
Femme (étude pour Les Demoiselles d'Avignon), 1907
Huile sur toile, 118 × 93 cm
Bâle, collection Beyeler

le regard de Picasso sur lui-même s'est entre-temps modifié. Quelques mois seulement séparent les deux autoportraits; l'un montre encore le jeune Picasso, l'autre un Picasso mûr.

La partie inférieure d'une esquisse (ill. p. 34) pour les *Demoiselles d'Avignon* est demeurée inachevée. Picasso révèle ici sa manière de procéder. D'abord, il dégage les contours d'un trait de pinceau impulsif; ensuite seulement, les champs qui en résultent sont peints de couleurs vives, puis les anguleuses lignes de contour sont reprises en noir. Après chaque coup, il pose le pinceau. Il dépèce le corps et la tête en morceaux anguleux. Les bras que le nu croise derrière la tête, Picasso les a empruntés à la peinture de Jean Auguste Dominique Ingres, *Le Bain turc*, hommage de cet artiste aux formes féminines gracieusement élancées et arrondies. Picasso a reporté le motif de cette étude dans la femme qui figure au centre de la version définitive des *Demoiselles d'Avignon* (ill. p. 35). Difficile d'imaginer contraste plus marqué avec la scène de bain d'Ingres, tout enveloppée de sensualité et d'érotisme. L'attitude lascive se convertit en son contraire par la déformation des bras, les coudes pointus et la tête fichée comme un coin dans la chair. Pourtant, cette femme et sa voisine de gauche – dont la chaude monochromie rappelle même la période rose – sont encore des beautés, comparées aux autres personnages féminins dont les têtes et les corps déformés semblent avoir été «taillés à la hache».

S'agissant de la figure au premier plan à droite, nous ne pouvons même plus reconstituer l'exacte position de son bras appuyé. Le corps et la tête sont formulés de manière complètement différente; le dos et le visage sont montrés simultanément, les yeux et la région de la bouche contredisent toute loi naturelle. Derrière elle, une autre femme franchit l'espace en écartant le rideau bleu. Sa tête est défigurée en museau de chien, son visage découpé en stries vert-rouge, le corps dépecé en fragments inconciliables entre eux. La cinquième femme enfin, à l'extrémité gauche du tableau, immobile, offre un visage pétrifié en masque.

Chaque figure donc se compose de fragments totalement dissemblables. Les personnages eux-mêmes obéissent dans leurs relations réciproques à des normes formelles également opposées. Le tout est dominé par une radicale géométrisation qui, d'une part, impose sa propre loi aux proportions naturelles et les déforme en conséquence selon ses exigences, d'autre part les fond avec l'arrière-plan, lui-même crevassé; l'espace formel paraît ainsi comprimé. L'absence de lumières et d'ombres qui modèleraient les corps, la multiplicité des angles de vue, achèvent de donner un caractère indistinct à l'espace.

Picasso a tout voulu détruire. Que le mythe de la beauté de la femme soit brisé, c'est encore un moindre mal. Mais il se révolte contre l'image que l'on s'était fait de lui jusqu'ici; avec ce tableau, il se révolte contre toute la peinture occidentale depuis les débuts de la Renaissance. Or cette œuvre n'est pas née de rien. Picasso a vu auparavant des sculptures ibériques et africaines. Elles portaient en elles ces formes archaïques qui le poussent à la stylisation des formes naturelles, à une rigoureuse géométrisation, et finalement à une radicale déformation.

Pains et compotier aux fruits sur une table, 1909
Huile sur toile, 164 × 132,5 cm
Bâle, Kunstmuseum

«L'enseignement académique de la beauté est faux. On nous a trompés, mais si bien trompés qu'on ne peut plus retrouver pas même l'ombre d'une vérité. Les beautés du Parthénon, les Vénus, les Nymphes, les Narcisses, sont autant de mensonges. L'art n'est pas l'application d'un canon de beauté, mais ce que l'instinct et le cerveau peuvent concevoir indépendamment du canon.» Picasso

Illustration page 38:
Portrait d'Ambroise Vollard, 1910
Huile sur toile, 92 × 65 cm
Moscou, Musée Pouchkine

Illustration page 39:
Femme aux poires (Fernande), 1909
Huile sur toile, 92 × 73,1 cm
Collection particulière

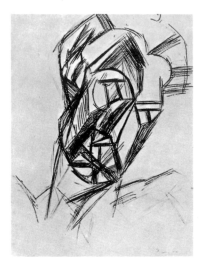

Tête, 1909
Plume, 63,5 × 47 cm
Paris, collection particulière

«Le cubisme n'est ni le grain ni la germination d'un art nouveau: il représente une étape du développement des formes picturales originelles. Ces formes réalisées ont le droit à une existence indépendante. Si, à présent, le cubisme se trouve encore à l'état primitif, une nouvelle forme du cubisme devrait naître plus tard. On s'est efforcé d'expliquer le cubisme par les mathématiques, par la géométrie, par la psychanalyse, etc. Tout ceci n'est que littérature. Le cubisme poursuit des buts plastiques qui se suffisent à eux-mêmes. Nous les définissons comme des moyens pour exprimer tout ce que notre raison et nos yeux perçoivent dans les limites des possibilités que comportent le dessin et la couleur. Quelle source inépuisable de joies inattendues et de découvertes!»   Picasso

«La peinture est plus forte que moi, elle me fait faire ce qu'elle veut.»   Picasso

Guitare, 1913
Fusain, crayon, encre de Chine et papier collé, 66,3 × 49,5 cm
New York, Museum of Modern Art

Avant Picasso, d'autres artistes se sont intéressés à l'art des «primitifs», mais ils ne s'en sont pas servis avec un tel sans-gêne. Henri Matisse et André Derain surtout, par leurs nus exposés au Salon des Indépendants, ont aiguillonné l'ambition du jeune Espagnol. Leur réaction spontanée devant ce tableau est la stupeur. Apollinaire, qui compte alors parmi les partisans de Picasso, Braque, que Picasso vient de rencontrer, rejettent dans un premier temps cette œuvre incompréhensible pour eux. Ils y voient la conséquence d'une «terrible solitude» ou murmurent, comme Derain, qu'on trouvera un jour Picasso pendu derrière son tableau. Mais les attaques verbales des collègues cessent vite; eux-mêmes se convertissent, travaillant à l'élaboration de nouveaux principes. Le cubisme est né. Picasso fait des émules. Braque surtout entre en compétition avec lui dans la recherche de la nouvelle peinture. Leur rivalité artistique débouche sur une amitié; plusieurs années durant, ils vont ensemble exploiter les filons du cubisme. En été 1908, l'un et l'autre partent à la campagne. Au retour, ils constatent que les toiles réalisées indépendamment l'un de l'autre se ressemblent de manière stupéfiante!

Le tableau *Pain et compotier aux fruits sur une table* (ill. p. 36) baigne encore pleinement dans le climat de ce premier cubisme monumental. La maigre nature morte est disposée dans un espace comprimé entre la partie mobile du plateau de la table et le rideau vert. Un pain, dont la tranche correspond au demi-cercle de la table, un compotier rempli de fruits et un bol renversé, quelques fruits épars, ce sont des choses de la vie quotidienne, qu'une singularité pourtant distingue: jusque dans leur apparence naturaliste, elles se soumettent toutes à des formes géométriques fondamentales. Picasso satisfait par là aux exigences de Cézanne, qui voulait tout ramener à la sphère, au cylindre et au cône; il démontre en outre sa nouvelle conception de l'espace pictural, rigoureusement appliquée en se servant de citrons et de poires. L'espace pictural ne s'organise plus de façon unie, par l'emploi de la perspective centrale; chaque objet est au contraire rendu à partir d'un autre angle de vue. Nous pouvons par exemple pénétrer d'en haut jusqu'à l'intérieur du compotier; en revanche, le fond du bol renversé demeure caché au spectateur.

Après un séjour à Horta de Ebro, ce village isolé du monde où il s'était déjà retiré pendant ses études, Picasso revient à Paris en février 1909. C'est une des périodes les plus fécondes de son existence. Là-bas, il a peint le portrait de Fernande dit la *Femme aux poires* (ill. p. 39), qui marque une autre étape dans le développement du cubisme analytique. L'étude des sculptures primitives a produit ses fruits. Picasso ne s'est jamais soucié de leur signification ethnologique; il en a examiné avec d'autant plus d'attention leur constitution formelle. Il y reconnaît comme structure de base la juxtaposition de volumes individuels. Cette observation l'incite à concevoir dans sa peinture les arcades sourcillières, le nez, les joues, les lèvres, etc., comme autant de corps en facettes qui décomposent le visage en des parties isolées. Le système de la perspective plurielle ne se répartit plus désormais sur plusieurs objets, mais se concentre au contraire sur un seul.

La géométrisation embrasse d'abord de simples objets, tasses et autres formes similaires, dans leur forme caractéristique, allant plus loin même dans la pénétration de ces objets. Mais, lorsqu'il s'agit de l'identification d'une personne humaine, elle paraît plutôt un obstacle. Rendre les traits individuels d'un visage – exigence absolue du portrait –, simplifier d'autre part les formes comme le requiert leur géométrisation croissante, voilà deux réalités qui semblent s'exclure. Or ces deux tendances contraires, le naturalisme et l'abstraction, la référence à la réalité et le souci de l'autonomie de l'art, se trouvent en cette période en état d'équilibre dans la création de Picasso. Jamais l'un des pôles ne surgit sans la présence de l'autre. Picasso ne peint aucune toile exclusivement naturaliste, pas plus qu'il ne peint de toiles complètement abstraites. A l'intérieur de cette phase stylistique du cubisme, le point de rupture est atteint: avant, le naturalisme dominait, après, l'abstraction prévaudra dans sa peinture.

Le portrait d'Ambroise Vollard (ill. p. 38), le marchand de Picasso, ne livre son identité que par le truchement de petites abréviations géométriques. Pourtant, le portraituré y est recon-

Pipe, bouteille de Bass, dé, 1914
Papier collé et fusain sur papier, 24 × 32 cm
Collection particulière

naissable. Les formes géométriques rompent les lignes de contour, convertissent les rares fragments réalistes. Les traits sont
susceptibles d'une double lecture. Ils forment un élément cons-
titutif d'une géométrie formelle autonome, tout en définissant
le revers d'un habit, un mouchoir dans la pochette ou un bras.
L'espace pictural est désormais au mieux un relief aplati, les éléments en saillie sont lissés, les volumes anguleux ne se dressent
plus côte à côte: s'y substituent des passages adoucis entre de
petites surfaces. Les éclats prismatiques recouvrent tout le
tableau de leur texture.

Au cours des années suivantes, la désagrégation des objets
figurés s'accentue encore. Picasso peint de préférence des
natures mortes, recourant aux objets de son atelier. Leur aspect
est en lui-même déjà défini par des formes géométriques, que le
spectateur peut identifier sans peine. Ainsi, en dépit de la modification des proportions et de l'éclatement de la physionomie

Nature morte à la guitare, 1922
Huile sur toile, 83 × 102,5 cm
Lucerne, collection Rosengart

Arlequin jouant de la guitare, 1916
Crayon ou fusain, 31 × 23 cm

Arlequin, 1915
Huile sur toile, 183,5 × 105,1 cm
New York, Museum of Modern Art

dans son ensemble, l'objet figuré demeure reconnaissable. Ce libre usage de fragments sera le chemin qui conduit au papier collé. *La Guitare* (ill. p. 41), par exemple, exploite des restes de papiers peints, des coupures de journaux comme éléments décoratifs préfabriqués et insérés dans la toile, travaillée en outre au fusain, au crayon et à l'encre de Chine. De cette manière, nous assistons à la fois à l'éclatement de l'objet représenté en fragments et à sa reconstitution au moyen de fragments empruntés à la réalité extérieure. Deux niveaux de réalité se recoupent: le papier collé renvoie à la coupure de journal, tout en constituant la rosace de l'instrument. Quelques signes caractéristiques suffisent à définir l'instrument. La forme ventrue du corps de résonance, la crosse et les cordes qui y sont assujetties, sont autant d'éléments de base réalistes, à même de dissiper une totale abstraction du tableau.

En plus des habituels accessoires, le papier collé *Pipe, bouteille de Bass, dé* (ill. p. 42) montre un dé à l'extrémité droite du tableau. Cette pure forme cubique, dont trois faces tout au plus se voient normalement, Picasso en complète la vision par une quatrième face, noire, annexée au dé, comme s'il voulait rendre compte des faces postérieures invisibles du dé. Mais il y a plus. Normalement, la somme des points des faces opposées forme un total de sept. Or Picasso montre le trois et le quatre juxtaposés. Face antérieure et face postérieure se voient simultanément. Dans ce caprice cubiste se loge donc l'ultime réponse de la peinture au conflit séculaire opposant peinture et sculpture, celle-ci revendiquant une prééminence parce qu'elle peut représenter les objets sous toutes leurs faces.

La *Nature morte à la guitare* (ill. p. 43) de 1922, œuvre appartenant à une phase tardive du cubisme, imite une fois encore le procédé antérieur du papier collé, mais en se servant de moyens picturaux. Elle apparaît comme une épode tardive du cubisme.

Le point culminant du cubisme synthétique, Picasso ne l'atteint pas dans ses papiers collés faisant usage de rebuts de la réalité; il y parvient dans sa peinture, confrontant diverses plans colorés à la manière de papiers découpés. Dans son *Arlequin* peint en 1915 (ill. p. 45), un thème de prédilection d'autrefois, les plans aux vives couleurs vacillent sans aucun raccord au fond noir de la toile qui les encadre. L'artiste évite même soigneusement d'amarrer ces plans en les coupant par le rebord du tableau. L'amuseur se laisse identifier en tant que tel non parce qu'un reste de réalisme naturaliste défie les formes abstraites, mais parce que le costume à losanges qui le fait reconnaître est aussi dans la réalité un motif abstrait.

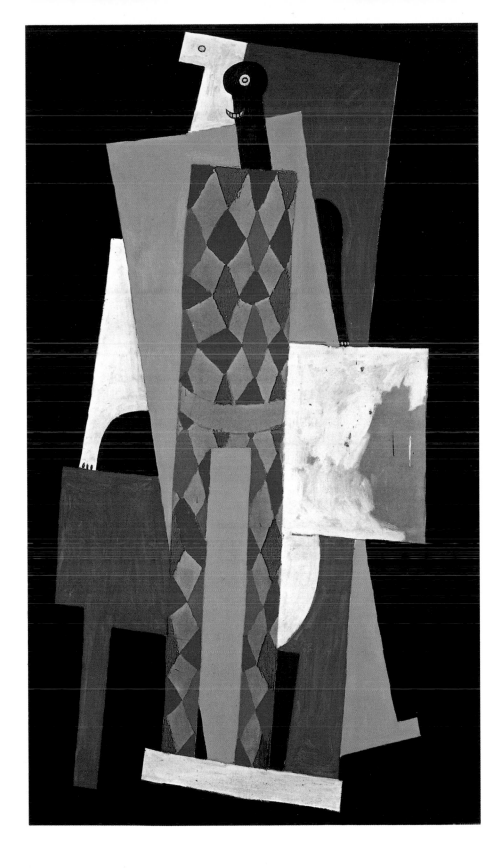

Picasso sculpteur

A aucun moment, l'œuvre plastique de Picasso ne se laisse rattacher à une tendance stylistique étroitement délimitée. Comme dans la peinture et le dessin, l'artiste s'est toujours réservé la liberté de créer en changeant de cap, selon ses caprices, s'arrêtant même de produire en certaines périodes précises. Son intérêt s'est de fait sans cesse porté sur divers problèmes artistiques, qui requièrent et trouvent à chaque fois leurs modes d'expression et leur solution technique propre.

Dans sa jeunesse, Picasso s'est vraisemblablement considéré uniquement comme un peintre et un dessinateur. La première sculpture connue de lui est une femme assise, apparentée dans le traitement de la surface et la composition aux œuvres du grand sculpteur Rodin, imprégnée de la profonde tristesse qui

Tête de femme (Fernande), 1909
Bronze, 40,5 × 23 × 26 cm

baigne la période bleue. Comme quelques autres de ses premières sculptures, celle-ci ne nous a été révélée que grâce au fait que Picasso, à cours d'argent comme ce fut souvent le cas, a vendu tous ses modèles en terre glaise à Vollard, le marchand de tableaux, qui les fit couler dans le bronze. Les sculptures de Picasso des années 1906–1907 sont pour l'essentiel des figures en bois grossièrement taillées, dégageant de façon sommaire les caractères du corps féminin; elles reflètent son grand intérêt pour la plastique africaine, manifesté avec le plus d'intensité dans la période dite «nègre» qui suit peu après. Au cours de ces années, Picasso s'est constitué une importante collection de sculptures africaines, qui remplissent son atelier. La phase suivante du cubisme «analytique» trouve son expression plastique principalement dans la célèbre *Tête de femme* de 1909 (ill. p. 46) – comparez à ce sujet la peinture contemporaine *Femme aux poires*, reproduite à la page 39 –, un portrait de sa compagne Fernande Olivier. L'exécution trahit les difficultés rencontrées par Picasso dans le passage à la troisième dimension de la sculpture, de son nouveau mode de représentation développé dans la deuxième dimension du tableau. S'il réussit la transposition en sculpture de l'analyse cubiste par un traitement en facettes de la surface, il est en revanche manifeste que la forme de la tête, dans sa structure interne, ne saurait se dissoudre. Cette œuvre de Picasso a procuré d'importantes impulsions aux arts plastiques. L'expérience achevée, son intérêt pour le cubisme se reporte à nouveau clairement dans le domaine de la peinture, du dessin et de la gravure.

Le retour de Picasso à la sculpture s'accomplit en relation directe avec l'invention de ses «papiers collés». En soi, coller du papier sur la surface de la toile dépasse déjà le champ de la stricte bidimensionnalité du tableau. Conséquence logique de l'utilisation d'autres matériaux (carton, tôle, bois, ficelle ou fil de fer), un effet de relief s'accuse toujours plus, accentué par la saillie de certaines parties hors de la surface du tableau. Cette évolution s'amorce par les «constructions» de Picasso, série d'instruments de musique qu'il agence à l'aide de car-

Construction: Violon, 1915
Tôle peinte et fil de fer, 100 × 63,7 × 18 cm
Paris, Musée Picasso

ton, tôle, fil de fer, bois peint ou tôle peinte et plissée. Le *Violon* de 1915 (ill. p. 46) en offre un exemple. La saillie hors de la surface et la fragmentation de la structure connaissent différentes phases d'évolution, jusqu'à la réalisation complètement autonome de *Violon et bouteille sur une table*, par exemple, une construction de 1915–1916, faite de bois peint, clous et lacets. Cette invention de Picasso marque le début d'innovations révolutionnaires dans le domaine de la sculpture du XXe siècle. Tandis que les techniques traditionnelles de la sculpture se définissaient par un «accroissement» de la figure dans la terre glaise, ou au contraire un «amaigrissement» du bloc de bois ou de pierre, désormais s'édifient des constructions plastiques à structures multiples, par la simple juxtaposition d'éléments déjà achevés. C'est en réalité un nouveau chapitre qui s'ouvre dans le domaine plastique, celui de la «sculpture-construction».

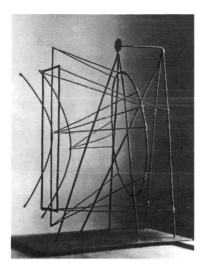

Construction en fil métallique (projet pour un monument à Apollinaire), 1928
Fil métallique, 50,5 × 40,8 × 18,5 cm

germination jusque dans les écrits d'Apollinaire. Son poème *Le Poète assassiné* offre la stupéfiante description d'un monument dédié au poète mort Croniamantal. A la question de savoir comment il se représente le monument, en quel matériau, le sculpteur interrogé répond: «Il faut que je lui sculpte une profonde statue en rien, comme la poésie et comme la gloire.» Picasso lui-même a dit l'enthousiasme soulevé en lui par cette formule d'une «statue en rien, en vide». Ses projets pour le monument d'Apollinaire, plus proches de l'esprit du poète que mille éloges rhétoriques, seront rejetés par le comité ad hoc, parce que jugés «trop radicaux». Les sculptures transparentes de Picasso, en prise sur l'espace, constitueront néanmoins dans l'histoire de la sculpture une nouvelle aventure, féconde pour les plus grands sculpteurs eux-mêmes.

Les trois années suivantes naissent diverses figures «transparentes» faites de toutes sortes de pièces de métal soudées. Mais, lorsque Picasso acquiert le château de Boisgeloup (1930), il se remet

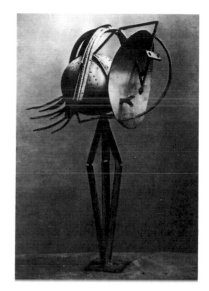

Tête de femme, 1931
Bronze (d'après original en fer peint en blanc et deux paniers à salade), 100 × 37 × 59 cm

Les instruments de musique formulés en relief dégagé de la surface, plus tard en des sculptures autonomes, marquent le point extrême de la confrontation de Picasso avec le cubisme «synthétique». A partir de 1916 environ, il se voue presque exclusivement à la gravure. Pendant une période de dix ans à peu près, de très rares sculptures de lui sont connues. Suite à un ensemble d'esquisses à l'encre de Chine, apparaissent finalement, en 1928, les premières de ses célèbres constructions en fils de fer. Picasso les élabore comme modèles pour un monument projeté en l'honneur du poète et critique d'art Apollinaire, mort en 1918, qui fut son ami. La version de la *Construction en fil de fer* de 1928 (ill. p. 47), que Picasso jugea lui-même définitive, atteint dans sa réalisation exposée au Musée d'Art Moderne de New York une hauteur monumentale de plus de quatre mètres. Il s'avère qu'il ne s'agit nullement d'une construction abstraite en tubes d'acier soudés, mais du «dessin» linéaire d'une femme à la balançoire, traduit dans l'espace. Le disque de métal doit être interprété comme la tête surmontant le corps à forme ovale; les bras qui s'en dégagent tirent aux cordes de la balançoire, contre laquelle, en bas, se dressent les jambes. Le violent mouvement de la balançoire poussée vers l'extérieur est fixé au moment où celle-ci plane, entre la montée et la chute. Il semble donc que le temps s'est arrêté.

Pour comprendre cette sculpture dessinée dans l'espace, en quelque sorte suspendue dans le temps, sans masse et sans poids, il est instructif d'en saisir la

Tête de femme, 1932
Bronze, 86 × 32 × 48,5 cm
Paris, Musée Picasso

intensément au modelage de la terre glaise et du plâtre. C'est l'époque où apparaissent les merveilleux dessins et gravures sur le thème de *L'atelier du sculpteur*. En opposition à l'élégant classicisme de ces dessins, les travaux plastiques contemporains accusent une grossière simplification des formes, rappelant les figures du néolithique. Sa peinture les avait depuis longtemps préfigurées; elles y joueront un rôle considérable jusqu'à l'achèvement de *Guernica* (ill. p. 68–69).

Dans l'atelier de Boisgeloup, naissent des corps de femmes produits en rassemblant des boudins de pâte, ainsi que d'immenses têtes faites d'éléments en boule superposées, sommant des cous tirés en longueur, le nez proéminent en boudin. L'étrange *Tête de femme* de 1932 (ill. p. 32) s'inscrit comme une étape dans une suite de quatre têtes, la première proposant un portrait, d'une grâce presque classique, de la compagne d'alors, Marie-Thérèse Walter. Le dernier chaînon de l'évolution, en poussant à l'extrême la simplification, ne propose plus qu'une concentration de formes humaines à l'allure grotesque, devenue pur objet plastique. Ce n'est toutefois là qu'une prise en compte des données formelles: toute la richesse sensible de ces portraits intimes ne se dégage pas de descriptions verbales. Elle requiert le contact non prévenu du spectateur et de sa propre sensibilité.

Après une période d'intense expérimentation, intervient à nouveau un arrêt de la production plastique. En 1943, à partir d'éléments métalliques assez fortuits, surgissent alors des sculptures-

L'Homme au mouton, 1944
Bronze, 220 × 78 × 72 cm

Chèvre, 1950
La sculpture en voie d'achèvement dans l'atelier de Vallauris.
Plâtre (d'après assemblage de corbeille d'osier tressé, feuilles de palmier, morceaux de céramique, métal, bois, carton et plâtre), 120,5 × 72 × 140 cm

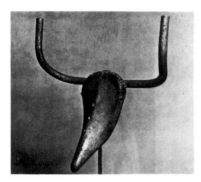

Tête de taureau, 1943
Bronze (d'après assemblage d'une selle et d'un guidon de bicyclette)
33,5 × 43,5 × 19 cm

La Guenon et son petit, 1951
Bronze (d'après original en plâtre, métal, céramique et deux petites autos)
53,3 × 33,7 × 52,7 cm

assemblages, d'une étonnante ingéniosité: l'*Arrosoir fleuri*, ou la géniale *Tête de taureau* (ill. p. 48).

Picasso a lui-même raconté comment il en est arrivé à cette œuvre: «Un jour, j'ai trouvé dans un tas d'objets pêle-mêle une vieille selle de vélo juste à côté d'un guidon rouillé de bicyclette ... En un éclair ils se sont associés dans mon esprit ... L'idée de cette tête de taureau m'est venue sans que j'y aie pensé ... Je n'ai fait que les souder ensemble ... Ce qui est merveilleux dans le bronze, c'est qu'il peut donner aux objets les plus hétéroclites une telle unité qu'il est parfois difficile d'identifier les éléments qui l'ont composé. Mais c'est aussi un danger: si l'on ne voyait plus que la tête de taureau et non la selle de vélo et le guidon qui l'ont formée, cette sculpture perdrait de son intérêt.»

En même temps que ces étonnants assemblages, Picasso crée l'une de ses plus fameuses sculptures, *L'Homme au mouton* (ill. p. 48), préparé par de nombreuses esquisses dessinées et élaborée en une tout autre technique, celle du modelage. Picasso a lui-même confié qu'en deux après-midis de suite, il n'avait pas ou avait insuffisamment préparé la réalisation de cette œuvre en terre glaise de plus de deux mètres de hauteur. L'armature métallique avait été abandonnée deux mois durant dans l'atelier. Un jour, poussé par une subite impulsion, il fait apporter une grande quantité de terre glaise dans son atelier et se met à modeler. Au cours du travail, il se rend compte que la sculpture ne tiendra pas: «La statue commençait à chanceler sous le poids de la glaise. C'était affreux! Elle menaçait de s'écraser à chaque instant. Il fallait agir vite. J'ai embauché Paul Eluard ... Nous avons pris des cordes et nous avons amarré l'homme au mouton aux poutres. J'ai décidé de le couler en plâtre sur-le-champ. Ça a été fait le même après-midi. Quel boulot! Je m'en souviendrai ... J'avais l'intention de le reprendre ... Vous voyez ces longues jambes maigres, ces pieds juste indiqués, à peine dégagés du sol? J'aurais voulu les modeler comme le reste. Je n'ai pas eu le temps. Finalement, je l'ai laissé tel quel.»

Voilà encore un trait typique de la manière de travailler de Picasso: il ne calcule pas froidement des effets grandioses, il agit sous le coup d'une impulsion spontanée, d'une émotion qui se concrétise à chaud. Là réside la force de Picasso, que n'altère en rien l'exécution compromise des jambes de son *Homme au mouton*. Bien au contraire! Au pire moment de l'occupation allemande, tandis que ses amis doivent se cacher pour échapper à la Gestapo, cette monumentale figure compréhensible pour tous proclame son espoir et sa foi en l'humanité.

Plus tard, l'assemblage d'objets de rebut demeurera une forme de sculpture que le génial esprit ludique de Picasso continue de cultiver. Ainsi, la *Femme à la voiture d'enfant* (ill. p. 49) amorcée en 1950, utilise-t-elle une voiture d'enfant hors d'usage, des moules à biscuit, un tuyau de poêle, autant d'objets de récupération associés à des éléments modelés dans la glaise, pour former une sculpture fascinante.

Les Baigneurs, 1956. La photographie montre trois des six sculptures, exposées à la «Documenta II» de Cassel, 1959. Bronze (d'après originaux en bois). De gauche à dr.: L'Homme-fontaine, 228 × 88 × 77,5 cm; Femme aux bras écartés, 198 × 174 × 46 cm; Le Jeune homme, 176 × 65 × 46 cm

Dans cette *Femme à la voiture d'enfant*, l'artiste maintient leur caractère propre aux fragments réutilisés d'objets de rebut, de sorte que la sculpture offre une figure humaine visiblement construite à partir d'eux. En revanche, la célèbre *Chèvre* (ill. p. 48) de 1950 emprunte une autre voie. Françoise Gilot, sa compagne d'alors, rapporte: «Pablo commença par l'idée. Puis il partit à la recherche d'objets qui pourraient lui servir ... Il fouillait le dépotoir chaque jour, et, avant d'y arriver, inspectait les poubelles sur le chemin. Je le suivais, poussant une vieille voiture d'enfant dans laquelle il jetait tous les morceaux prometteurs qu'il pouvait trouver.»

La chèvre se compose donc entièrement d'objets de rebut: corbeille d'osier tressé, feuilles de palmier, cerceaux métalliques, morceaux de céramique, etc. Mais le modelage a effacé l'identité de ces composantes, astucieusement exploitées afin de définir de manière naturaliste une véritable chèvre. L'artiste procédera de même dans *La Guenon et son petit*: pour former la tête de l'animal, il récupère deux petites voitures, jouets de son fils Claude, qu'il applique l'une contre l'autre.

Les dernières œuvres plastiques de Picasso réintroduisent des surfaces planes, des plans colorés. A partir de 1953, parallèlement aux assemblages, il utilise des plaques de bois cloués qui composent le groupe des *Baigneurs*, coulés en bronze en 1956. L'exécution de ces figures humaines plus grandes que nature est un autre trait de son ultime production. Quelques-unes parmi elles, violemment colorées, découpées dans le carton ou la tôle, plié, courbé, plissé, sont traduites au cours des années soixante en de monumentales sculptures d'acier ou de béton qui peuvent atteindre plus de vingt mètres de haut.

Femme à la voiture d'enfant, 1950
Bronze (d'après assemblage en terre cuite de moule à biscuit, plaqué de tôle, voiture d'enfant), 203 × 145 × 60 cm

Les années vingt et trente
1918-1936

«L'esprit nouveau qui s'annonce prétend avant tout hériter des classiques un solide bon sens, un esprit critique assuré, des vues d'ensemble sur l'univers et dans l'âme humaine, et le sens du devoir qui dépouille les sentiments et en limite ou plutôt en contient les manifestations.» Ces lignes d'Apollinaire, écrites en 1918, prouvent que l'orientation du peintre vers un langage formel objectif, froidement classique, ne correspond pas à un penchant personnel. Le poète Apollinaire, vieux compagnon de route du temps du cubisme, amorce un semblable tournant: renouvellement de l'art et retour à un traditionnel classicisme ne doivent plus apparaître comme contradictoires.

La décision de Picasso de se distancer de la vision analytique du cubisme, qui disséquait presque les objets, cette décision est stimulée par l'expérience d'un voyage en Italie, de février à mai 1917. Les répétitions du ballet *Parade* – œuvre du jeune poète Jean Cocteau sur une musique d'Erik Satie, pour lequel Picasso a esquissé le rideau de scène – doivent en effet se dérouler à Rome. L'atmosphère cordiale et détendue de la troupe de Serge Diaghilev et de son Ballet russe, la rencontre de la danseuse Olga Koklowa, plus généralement l'animation printanière de la Ville Eternelle, sont autant de facteurs susceptibles de troubler l'acuité «radiographique» de son œil. Picasso reprend alors goût au joyeux spectacle de l'existence, regarde déambuler les flâneurs et se mêle à eux. Il reprend confiance dans la banale perception des réalités familières. Surtout, il laisse ce changement de climat pénétrer dans ses toiles.

Les *Paysans au repos* (ill. p. 52), peints par Picasso en 1919 à Paris, sont encore dans la mouvance du séjour romain. Sur les escaliers de la Place d'Espagne, une foule de jeunes gens aux costumes pittoresques y attendaient touristes, photographes et peintres pour poser comme modèles. Se conformant totalement aux lois du genre, Picasso exalte dans cette toile des plaisirs tranquilles et naturels. Les problèmes sont en grande partie écartés de cette vision intimiste d'un couple. L'abandon de la paysanne et le geste protecteur du paysan penché sur elle décrivent le bonheur sans histoire d'une relation entre homme et femme. Ces deux personnages s'imposent comme des sculptures, apparaissent monumentaux en dépit ou précisément à cause du quotidien de la scène. Quelques réminiscences du

«Un des points fondamentaux du cubisme visait à déplacer la réalité: la réalité n'était plus dans l'objet, elle était dans la peinture. Quand le peintre cubiste pensait: «Je vais peindre un compotier», il se mettait au travail, sachant qu'un compotier en peinture n'avait rien de commun avec un compotier dans la vie. Nous étions réalistes, mais dans le sens du dicton chinois: «Je n'imite pas la nature, je travaille comme elle.»

A part le rythme, la différence des textures est une des choses qui nous frappent le plus dans la nature: la transparence de l'espace opposée à l'opacité de l'objet dans cet espace, la matité d'un paquet de tabac à côté d'un vase de porcelaine, et, en plus, le rapport de la forme, de la couleur et du volume à la texture. Pourquoi évoquer ces différences avec de monotones touches des peinture à l'huile et chercher à «rendre» le visuel grâce à des conventions torturantes et rhétoriques: perspective, etc.? Le but du papier collé était de montrer que des matériaux différents pouvaient entrer en composition pour devenir, dans le tableau, une réalité en compétition avec la nature. Nous avons essayé de nous débarrasser du trompe-l'œil pour trouver le «trompe-l'esprit.» PICASSO

Paul en Arlequin, 1924
Huile sur toile, 130 × 97,5 cm
Paris, Musée Picasso

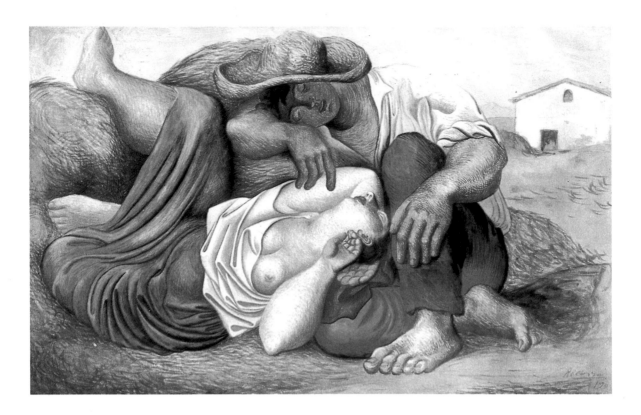

Paysans au repos, 1919
Tempera, aquarelle et crayon,
31,1 × 48,9 cm
New York, Museum of Modern Art

«Je veux «dire» le nu. Je ne veux pas faire un nu comme un nu. Je veux seulement dire sein, dire pied, dire main, ventre. Trouver le moyen de dire, et cela suffit. Je ne veux pas peindre le nu de la tête aux pieds. Mais arriver à dire. Voilà ce que je veux. Un seul mot suffit quand on en parle. Ici, une seul regard, et le nu te dit ce qu'il est, sans phrase.» PICASSO

cubisme, par exemple l'irritante différence de dimensions des mains de la femme, troublent à peine cette impression.

En 1918, Olga Koklowa est devenue l'épouse de Picasso. Le mariage a apporté des changements dans la façon de vivre du peintre. L'allure bohème que cultivait Picasso et qu'il aimait afficher disparaît et fait place à la conscience de son statut de prince des peintres. La jeune famille a déménagé; elle s'offre les services d'un personnel domestique, plus tard d'un chauffeur. A coup sûr sous l'emprise d'Olga, le couple fréquente d'autres milieux. Les réunions anarchistes se muent en réceptions. Peut-être bien que le langage formel devenu plus conventionnel, la consciente démonstration dans les tableaux d'un lien avec la tradition picturale, un large renoncement à la provocation, sont l'expression d'une autre compréhension de soi chez le peintre.

En été 1922, Picasso peint à Dinard, station balnéaire bretonne, les *Deux femmes courant sur la plage* (ill. p. 53). Les corps charnels envahissent toute la toile, celui du premier plan accomplissant un mouvement de bas en haut, l'autre, de gauche à droite. La solide rudesse de ces figures rappelle la *Belle Hollandaise* peinte par Picasso en 1905 (Brisbane, Queensland Art Gallery); leur monumentale féminité fait aussi allusion à la grossesse d'Olga, qui avait suscité peu auparavant l'émoi de l'artiste. Ces deux personnages anonymes, si fortement caractérisés sexuellement, rendent donc hommage à sa propre femme. Pour les mouvements des mains, Picasso utilise des modèles classiques,

le thème de la «femme flagellée» des fresques de la Villa des Mystères de Pompéi – qu'il a vues lors de son voyage en Italie. Mettant en question notre expérience optique, ces personnages contribuent par leur grotesque allure à la complexité de l'image, allant de l'exaltation de la maternité à la référence à la tradition picturale. Ainsi le bras qui, selon les apparences, doit se voir au premier plan, est représenté le plus petit, tandis que le bras situé tout à l'arrière-plan, apparaît démesurément grand; de même, la ligne d'horizon, au lieu de s'étirer, monte, presque imperceptiblement mais cependant réellement, de gauche vers la droite.

Ce tableau des *Deux femmes courant* atteste que la volonté de Picasso de montrer une figure telle qu'elle apparaît ne le détourne pas pour autant de déformations tributaires du cubisme, ou d'une mise en question de la logique formelle. Les toiles de Picasso maintiennent toujours les deux tendances. Elles expriment sa vitale capacité de continuelles mutations des normes accomplies, où la recherche de nouvelles formes d'expression oscille entre les deux pôles de la fidélité aux apparences immédiates et de la tentative de pénétrer par le regard sous la

Deux Femmes courant sur la plage (La Course), 1922
Gouache sur contreplaqué, 34 × 42,5 cm
Paris, Musée Picasso

«Moi, je vise toujours à la ressemblance … Un peintre doit observer la nature, mais ne jamais la confondre avec la peinture. Elle n'est traduisible en peinture que par signes. Mais on n'invente pas un signe. Il faut fortement viser à la ressemblance pour aboutir au signe. Pour moi, la surréalité n'est autre chose, et n'a jamais été autre chose que cette profonde ressemblance au-delà des formes et des couleurs sous lesquelles les choses se présentent.»
Picasso

La Flûte de Pan, 1923
Huile sur toile, 205 × 174,5 cm
Paris, Musée Picasso

surface. André Breton, le mentor du surréalisme, a formulé ainsi cette problématique: «Le secret [de ses grandes libertés] tient à ce que, les principes d'un nouveau mode de représentation une fois établis, il a été le seul à les transcender, sa complexion le dissuadant de les tenir à l'abri des violentes pulsions passionnelles que pouvait connaître sa vie.» Fidèle à son opinion sur Picasso, le même Breton publiera pour la première fois *Les Demoiselles d'Avignon* (ill. p. 35) dans sa revue, en 1925, alors que Picasso semblait avoir dit adieu au cubisme avec ses toiles à la grâce classique.

En 1923, en vacances à Antibes, Picasso compose la *Flûte de Pan* (ill. p. 55). Ce n'est pas seulement le sujet qui en fait l'œuvre capitale de sa période «néo-classique». La toile réunit de fait des éléments reconnus comme «classiques» à travers l'histoire et qui ont fixé des normes séculaires pour juger d'une perfection artistique. Mentionnons d'abord la sobre monumentalité de chaque personnage, construit au moyen de formes claires et dépouillées, solides et gracieuses telles des colonnes, d'une charnelle plasticité due à une quasi absence de mouvement. La frappante fermeté de toute la représentation se manifeste dans la construction symétrique de l'image, chaque figure se détachant de côté sur un mur et laissant le champ de vision, au centre, percer vers l'infini. Le rapport scénique des deux personnages cimente aussi l'unité du tableau: d'un côté, le joueur de flûte calmement assis, de l'autre le personnage debout, détendu, dans une position en contrapposto. Enfin, signalons le climat méditerranéen, qui renvoie aux origines de tout art classique, l'antiquité gréco-romaine. L'ordonnance classique n'est plus guère troublée par quelque grotesque chaos; une arcadienne idylle s'épanouit, si immédiatement accessible qu'elle confirme certes le grand talent de Picasso, mais évacue presque totalement le charme de la provocation. Cependant le goût inné de Picasso pour le changement fait de cette toile l'ultime chant de cette période de sa création.

En revanche, le portrait de son fils *Paul en Arlequin* (ill. p. 50) de 1924, est tout entier voué au bonheur de sa vie privée. Picasso a brossé en tout trois grands portraits de Paul; il les a tous conservés près de lui jusqu'à la fin de son existence. Revêtant l'enfant de trois ans d'un costume d'Arlequin, Picasso démontre une nouvelle fois son attirance, déjà attestée dans sa période rose, pour ce type de déguisement; il avoue du même coup son inclination à se glisser en d'autres rôles. Le caractère inachevé de la toile la situe d'emblée dans la sphère intime. Seules la tête et les mains du petit sont abouties; le costume semble plaqué, chaise et arrière-plan ne sont qu'esquissés. Pourtant, ce climat intimiste est miné par le format du tableau, qui explique les dimensions plus grandes que nature de l'enfant. Cette œuvre est donc un autre témoignage typique de l'imbrication qui mêle à cette époque intimité et monumentalité.

Au cours de toutes ces années où, se conformant à un engagement personnel, Picasso souligne la possibilité de rendre les apparences immédiates de manière illusionniste sur la toile, il ne s'écarte pas le moins du monde de l'autre pôle de son credo artistique, à savoir la tentative d'une saisie totale du thème représenté, d'une pénétration au-delà des apparences, d'un examen

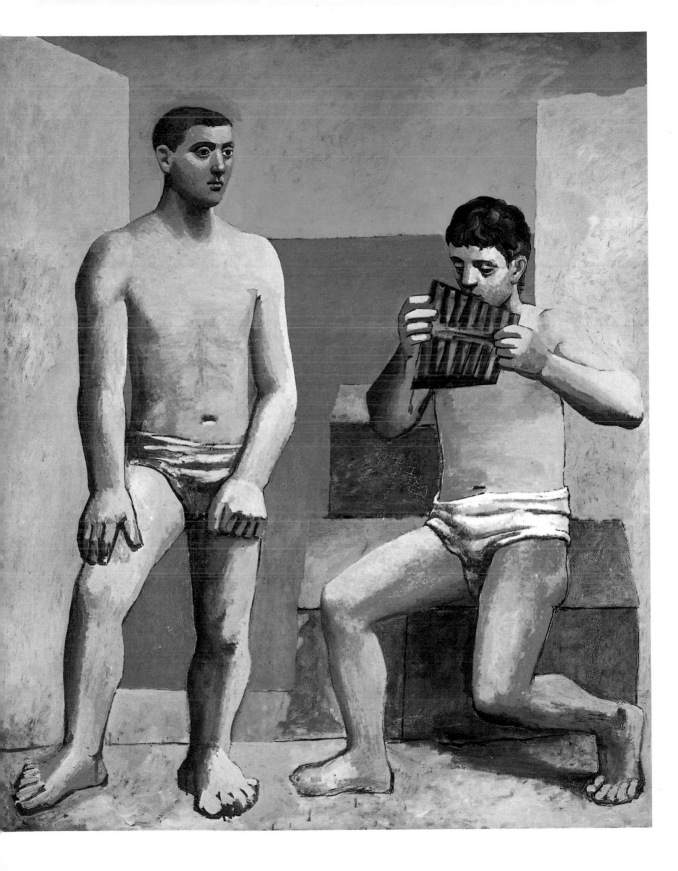

Les Trois musiciens, 1921
Huile sur toile, 200,7 × 222,9 cm
New York, Museum of Modern Art

«La peinture n'est pas une question de sensibilité; il faut usurper le pouvoir; on doit prendre la place de la nature, et ne pas dépendre des informations qu'elle vous offre.»
Picasso

des divers niveaux de signification, d'un affrontement de l'existence des choses du quotidien. L'illusionnisme s'accompagne d'un certain goût pour l'ornement; s'y affirment le penchant à suivre une tradition artistique, la persistance à se servir du médium conventionnel du tableau de chevalet. Le vœu d'une compréhension globale favorise au contraire d'autres tendances, l'accentuation du grotesque par exemple, la transparence des formes ou leur morcellement. La mise en œuvre de ces deux pôles caractérise la production de Picasso dans sa totalité.

Rien d'étonnant par conséquent à ce que ce soit dans sa période post-cubiste que surgisse le sommet de sa création cubiste, *Les trois musiciens* (ill. p. 56), créés en 1921. Pour la première fois, Picasso utilise ici un groupe de personnages comme thème cubiste. Ce sont trois figures de la Commedia dell'arte, un Pierrot, un Arlequin, un Capucin, jouant ensemble. L'aspect pit-

56

Atelier à la tête de plâtre, 1925
Huile sur toile, 98,1 × 131,1 cm
New York, Museum of Modern Art

toresque, scène de genre du sujet – caractérisant aussi, par exemple, les *Paysans au repos* – se conjugue avec le morcellement des formes porteuses du sujet. C'est dire que les personnages ne peuvent être déchiffrés que par le truchement de signes: les visages, dissimulés derrière des masques; les pieds, dont la présence se déduit de formes jumelles anguleuses visibles vers le bas du tableau; les mains enfin, formées de plans déchiquetés à cinq pointes. Les instruments de musique furent un thème constant du cubisme; les mains, beaucoup trop petites, rappellent l'avertissement prodigué par le père, qui a marqué Picasso: «C'est aux mains que l'on reconnaît la main.» Des éléments familiers et immédiats, associés à d'autres, dissonants et à multiples sens, se fondent ici dans une unité plastique que nous serions tentés de définir comme «classique», du moins en ce qui touche l'œuvre de Picasso.

Pareils tableaux font se mouvoir celui qui les a créés sur un terrain de reconnaissance. La gloire croissante de Picasso au cours des années vingt, entraînant aussi un changement dans son style de vie, il la doit précisément en bonne partie à ce moment de synthèse décrit ci-dessus. La prise en compte de l'attente du spectateur, moulé dans la tradition artistique, va de pair avec l'évolution de son propre langage formel. Les citations

«L'art moderne s'achemine vers son déclin, parce qu'il n'existe plus d'art académique fort. Il faut une règle, même si elle est mauvaise, parce que la puissance de l'art s'affirme dans la rupture des tabous. Supprimer les obstacles, ce n'est pas la liberté, c'est la licence, c'est un affadissement qui rend tout invertébré, informe, dénué de sens, zéro.» Picasso

Sculpteur assis et modèle couché devant une fenêtre, avec vase de fleurs, tête sculptée, 1933
Eau-forte, 19,3 × 26,7 cm
Planche 63 de la «Suite Vollard»

«Il n'y a pas d'art abstrait. Il faut toujours commencer par quelque chose. On peut ensuite enlever toute apparence de réalité; il n'y a plus de danger, car l'idée de l'objet a laissé une empreinte ineffaçable. C'est lui qui a provoqué l'artiste, a excité ses idées, mis en mouvement ses émotions. Idées et émotions seront définitivement prisonnières de son œuvre; quoi qu'elles fassent, elles ne pourront plus s'échapper du tableau; elles en font partie intégrante, alors même que leur présence n'est plus discernable. Qu'il le veuille ou non, l'homme est toujours l'instrument de la nature.» Picasso

Femme à la fleur, 1932
Huile sur toile, 162 × 130 cm
Bâle, Galerie Beyeler

qu'il fait de lui-même cèderont plus tard à des citations de l'histoire de l'art, évolution qui, à la faveur de sa notoriété grandissante, deviendra une pratique spécifique. Dès lors, à partir d'un certain point, la force provocatrice d'une œuvre disparaît. Le cubisme, par exemple, à l'origine pur affront pictural, tombe à cause de Picasso dans le répertoire de l'art classique. La gloire de l'artiste s'amplifie ainsi d'elle-même.

Exemplaire est à ce propos *L'Atelier à la tête de plâtre* (ill. p. 57), peint en été 1925. La nature morte en tant que genre pictural et la représentation de son atelier sont des thèmes constants dans la création de Picasso. Voilà qui témoigne justement de sa propension à une auto-réflexion, l'atelier étant le lieu par excellence pour l'artiste de l'affirmation de soi, tandis que la nature morte offre la possibilité de démontrer sa virtuosité artistique. Réminiscences du cubisme, traitement de la nappe de la table à la façon d'une sorte de papier collé, réminiscences du classicisme aussi, grâce en particulier au buste, sont les ingrédients réunis ici. Les fragments de main et de tête reparaîtront dans l'œuvre-symbole de Picasso, *Guernica* (ill. p. 68–69); quant au paysage de l'arrière-plan, il sera repris dans les ultimes images d'ateliers.

Au milieu des années vingt, l'évolution esquissée semble dépasser Picasso. Le mécanisme social du «comment fabrique-t-on un artiste?» semble fonctionner sans qu'il ait à intervenir. Il peut peindre ce qu'il veut et doit supporter une opinion publique qui, tout en applaudissant toujours plus fort et aveuglément chacun de ses travaux, oppresse dans la même mesure son individualité. A cela s'ajoutent les problèmes de sa vie conjugale avec Olga, qui se complaît fort dans son rôle d'épouse d'un prince des peintres et ne peut donc soutenir son mari dans cette crise. La preuve de la vitalité de Picasso, c'est qu'il n'en prend pas son parti: il se livre maintenant à de nombreuses expériences de caractère formel, monte un atelier de sculpture à Boisgeloup près de Paris, cherche à sauver sa personnalité en œuvrant dans le domaine de l'inconnu, de l'inédit.

«Mademoiselle, vous avez un visage intéressant. J'aimerais vous peindre. Je suis Picasso.» Par ces quelques mots, où perce la conscience de soi de l'artiste que la foule adule, Picasso fait en 1927 la connaissance de Marie-Thérèse Walter. Dans les années à venir, elle lui offrira une compensation pour l'éloignement d'Olga. La *Femme à la fleur* (ill. p. 59) de 1932 est un portrait de Marie-Thérèse, étrange à la manière des productions surréalistes contemporaines. Picasso lui-même ne peut échapper tout à fait à l'influence de ce groupe d'artistes parisiens, alors qu'eux, en retour, le considèrent comme leur parâtre en art. De toutes manières, dans ce portrait la métaphore de la femme et de la fleur s'opère indiscutablement sous le signe du surréalisme. L'évocation de la tête et de la fleur par une même forme de haricot, la chute correspondante de la chevelure et de la fleur, le croisement du bras et de la tige, concrétisent la volonté d'exprimer chaque objet par le biais d'un autre. Ce n'est pas la pluralité de significations de la forme qui s'affirme au premier plan, mais les possibilités de substitution. Ce postulat, plutôt étranger à la pensée de Picasso, trouve certes ici une concrète application:

Intérieur à la jeune fille dessinant, 1935
Huile sur toile, 130 × 195 cm
New York, Museum of Modern Art

«Quelle que soit l'origine de l'émotion qui me porte à créer, je veux lui donner une forme qui soit liée au monde visible, ne serait-ce que pour lui faire la guerre. Sinon, une toile n'est qu'un fourre-tout, où n'importe qui peut trouver ce qui lui plaît. Je veux que mes peintures puissent se défendre, résister à l'envahisseur, comme si chaque surface était hérissée de lames de rasoir, afin que personne ne puisse y toucher sans se couper les mains.» PICASSO

dans la création ultérieure de Picasso, il ne jouera qu'un rôle accessoire.

L'Intérieur à la jeune femme dessinant (ill. p. 60) de février 1935 offre un autre portrait de Marie-Thérèse. Le motif, qui intègre à l'arrière-plan une seconde femme accroupie, montre la formation du visage propre à cette période de Picasso. Dès 1913, il a réuni la présentation de profil et de face en un seul dessin, au point de tracer le contour du profil à l'intérieur de la forme ronde de la tête. Mais ici, dans la représentation de la jeune femme calmement assise, se manifeste une variante beaucoup plus développée. L'artiste a tracé le contour de la tête en une ligne uniforme qui rend le profil, à l'intérieur duquel les deux yeux du visage s'inscrivent comme l'amorce d'une vision frontale – pour ainsi dire, un renversement du vieux concept de l'époque cubiste. Picasso recourra constamment dans ses peintures à ces deux alternatives.

De son propre aveu, la pire période de son existence débute pour Picasso en juin 1935. Marie-Thérèse est enceinte de lui. Le divorce projeté est sans cesse renvoyé par Olga: le problème de la communauté de biens occupe les avocats. En ce temps de crises personnelles, Picasso perfectionne l'arsenal de ses arguments plastiques, faisant intervenir la figure du taureau écumant de rage, menaçant hommes et bêtes, ou du taureau mourant.

La Baignade, 1937
Huile, pastel et fusain sur toile
128 × 195 cm
Venise, collection Peggy Guggenheim

Espagnol depuis toujours fasciné par la corrida, par la «tauromachia», Picasso introduit simultanément dans son répertoire la figure mythologique du minotaure, homme à la tête de taureau. Le motif avait déjà surgi au lendemain de son voyage en Italie, mais c'est sous l'influence des surréalistes et de leur réflexion sur la psychologie des profondeurs que Picasso reconnaît dans cette figure mythique une forme actuelle d'un processus d'identification. Le minotaure devient le symbole de l'artiste en marge, tiraillé entre l'assouvissement de ses instincts et l'adaptation.

La Baignade (ill. p. 61), de février 1937, est une des images clés de cette période de profonde crise. «Je t'écris de suite pour t'avertir qu'à partir de ce soir j'abandonne la peinture, la sculpture, la gravure et la poésie pour me consacrer tout entier au chant», écrivait peu de temps auparavant Picasso à Jaime Sabartès, son vieil ami des jours vécus ensemble à Barcelone. Ce retrait projeté, compréhensible dans un moment de dépression, n'aura pas lieu. Toutefois, les toiles de ce temps trahissent une grande perplexité. Dès 1927, au cours d'un séjour estival à Cannes, surgissent constamment des scènes de baignade, des compositions bizarres, où les banales figures de vacanciers se décomposent en amibes femelles. Au contraire, les baigneuses de 1937 frappent par leur carapace à angles vifs. La sexualité de ces personnages, leurs seins pointus, leur lourd postérieur, écar-

«Pourquoi Platon a-t-il déclaré que les poètes doivent être chassés de la République? Précisément parce que chaque poète, chaque artiste est un être antisocial. Il ne l'est pas volontairement, mais il ne peut faire autrement. Bien sûr, l'Etat a le droit de l'exiler, mais si c'est un vrai artiste, il sait qu'il ne peut pas être accepté, parce que s'il était admis, compris, approuvé, cela signifierait que son travail est devenu un lieu commun sans valeur. Tout ce qui est nouveau, tout ce qui vaut la peine d'être fait, ne peut être reconnu, car les gens ne voient pas l'avenir.»
PICASSO

Portrait de Dora Maar, 1937
Huile sur toile, 92 × 65 cm
Paris, Musée Picasso

tent tout équivoque, et pourtant ils donnent l'impression de sculptures de bois brut sommairement ajustées. Des influences surréalistes – une dernière fois affichées à ce point – y sont perceptibles. Ce qui explique la contradiction du récit, par exemple la manifeste absurdité de femmes adultes absorbées par la présence d'un jouet d'enfant.

Une tête surgit à l'arrière-plan, menaçante, mettant en question la situation apparemment limpide comme dans un reportage. Si nous interprétons la portion bleue de l'image comme la surface de la mer, ce que suggère le bateau ou le titre du tableau, alors la figure surgie à l'horizon paraît inquiétante dans sa grandeur disproportionnée. Mais si nous interprétons la surface bleue comme un mur, derrière lequel une tête guigne – ce qui paraît avant tout plausible par le fait que l'horizon marque toujours la frontière du visible –, alors toutes les figures du premier plan, et aussi le titre du tableau, sont mis en question. Aucune autre peinture de Picasso ne propose une telle vision sans issue. L'ambiguïté de la lecture de cette toile a des effets destructeurs, soit qu'elle nie la narration figurée et le titre, soit qu'elle mette en cause une vision d'horreur dépassant toutes les bornes.

Le *Portrait de Dora Maar* (ill. p. 63) se situe dans le climat de *Guernica*. Picasso a rencontré cette femme, photographe yougoslave, en 1936, par l'intermédiaire de Paul Eluard et Georges Bataille. Il la verra constamment durant les années de la guerre. Sa présentation simultanée de profil et de face, de par le calme détendu du visage, atteint l'équilibre de l'art classique. Le col du vêtement et la chaise offrent également une vision simultanée de face et de côté. Pourtant, des motifs de tension secouent cette ordonnance apparente. Ainsi, quand bien même la couleur divergente des yeux ne serait qu'un jeu de piste du peintre, l'espace resserré comme une cage annonce pour sa part les futures images de la guerre. Le danger de l'enfermement, de la claustrophobie, est suggéré dans cette toile. Mais pour l'instant, l'artiste ne met pas encore en question l'harmonie et l'innocente beauté de la femme représentée.

Picasso créateur d'affiches

En octobre 1945, par l'intermédiaire de Braque, Picasso rencontre à Paris l'imprimeur Fernand Mourlot. La guerre l'avait contraint à renoncer durant plusieurs années à la gravure. Maintenant, Mourlot met à sa disposition son atelier de la rue Chabrol, où il va bientôt passer des journées entières, souvent dès l'aube et jusque tard le soir. Au cours des trois ans et demi à venir, plus de deux cents lithographies y paraîtront. L'utilisation du papier-report, de l'encre de Chine, du crayon lithographique, le report sur la pierre, tout cela lui procure un grand plaisir. Il n'arrête pas d'inventer de nouvelles techniques qui suscitent d'abord un scepticisme apitoyé chez les artisans expérimentés mais que Picasso, à leur stupéfaction, parvient à maîtriser à force de patience.

Dans l'atelier de Mourlot, Picasso réalise aussi des affiches. Ce médium, alliant la concision de l'information au langage formel le plus dépouillé et le plus efficace possible, Picasso ne s'en sert pas seulement pour des cartons d'invitation à ses propres expositions. Au lendemain de son entrée dans le parti communiste, l'affiche sert son engagement pour la paix par le truchement d'une diffusion massive de son message. Symbole de ses vœux de petit garçon à Malaga, la colombe, devenue symbole de paix, conquiert une gloire universelle.

L'affiche pour le Congrès de la Paix tenu en avril 1949 à Paris (ill. p. 64), est imprimée chez Mourlot. C'est Louis Aragon qui avait découvert cette lithographie – réalisée peu auparavant par l'artiste – lors d'une visite à l'atelier de Picasso à la rue des Grands-Augustins; spontanément, il l'avait proposée comme thème de l'affiche.

Une autre personne qui a exercé une influence sur l'activité de Picasso comme créateur d'affiches, c'est l'imprimeur Arnéra de Vallauris. En 1946, Picasso s'y était essayé à la céramique dans l'atelier du couple Ramié. En 1948, il loue la villa La Galloise où il vit avec Françoise Gilot. Arnéra l'incite à entreprendre la linogravure. Dans cette technique, de nombreuses affiches seront dédiées à des corridas ou à ses propres expositions, le titre comportant toujours le nom de l'endroit. L'affiche d'une exposition de 1952 (ill.

Congrès de la Paix, 1949
Photo-lithographie, 60 × 40 cm et
120 × 80 cm
Impression: Mourlot, Paris, 1949

Exposition à Vallauris, 1952
Linogravure en couleurs, 66 × 51 cm
Format de l'affiche: 80 × 60 cm
Impression: Arnéra, Vallauris, 1952

Taureaux à Vallauris, 1959
Linogravure en couleurs, 65,5 × 53,5 cm
Format de l'affiche: 78 × 56 cm
Impression: Arnéra, Vallauris, 1959

Taureaux à Vallauris, 1960
Linogravure en couleurs, 63,5 × 53 cm
Format de l'affiche: 75 × 63 cm
Impression: Arnéra, Vallauris, 1960

p. 64) montre un bouc de profil, presque un portrait du bronze *La Chèvre* (ill. p. 48), sculpté également à Vallauris, et autre thème goûté de Picasso. Le sujet occupe le centre; le texte court autour et à l'intérieur du motif. Le mot EXPOSITION meuble l'espace disponible au-dessus de la tête, qu'il environne en assumant ainsi un caractère typographique inédit. VALLAURIS, inscrit en dessous de la tête et à l'intérieur du corps, s'adapte d'autre manière au motif: les lettres correspondent aux touffes de la barbiche et évoquent à peu près le pelage de l'animal, alors que celui-ci n'est pas représenté. L'inscription se soumet en outre au chiffre. Afin que la date de 1952 – entourée d'un cercle pointé – occupe le centre en haut, les lettres qui précèdent sont largement écrites, tandis que les autres sont serrées.

La synthèse réussie du texte et de l'image dans l'affiche de Picasso éclate particulièrement en deux travaux de 1959 et 1960 (ill. p. 65). Les deux affiches doivent être interprétées comme des variations sur un même thème. Toutes deux annoncent: «Toros en Vallauris». La corrida, cérémonial chargé de traditions jusqu'à nos jours en Espagne – à un moindre

degré dans le sud de la France –, est un thème constant dans l'univers figuré de Picasso. Ici, dans l'affiche de 1959, c'est le déroulement de la corrida qui est proposé. Les lettres des mots TOROS EN, comme des trous dans une palissade de bois brun, livrent au regard, en quelques traits, des scènes esquissées de corrida; l'encadrement en amande de la scène inscrite dans la poutre transversale du T (de même que dans la partie supérieure du R) peut se lire aussi bien comme une arène que comme un œil, dans lequel cette image se reflète – ou au contraire, comme scène «renvoyée» par l'œil. L'inversion procurée par l'œil qui, de l'autre côté de la palissade, se plaque dans l'ouverture du O et regarde le spectateur, nous donne le sentiment de la distance vis-à-vis des petites figures. Grâce à ce jeu optique, en dépit de l'absence de la perspective traditionnelle, un espace derrière la «palissade» est donc engendré. Le rapport du texte à l'image est équilibré du fait que les lettres qui livrent l'information sont en même temps porteuses des symboles.

L'affiche éditée pour la même manifestation en 1960 nous offre une inversion de ce principe si important dans l'art de

l'affiche de Picasso. Ici, image et texte reçoivent le même poids, les taureaux esquissés formant l'encadrement des lettres. Grâce à cette répartition des lettres l'œil doit, pour recueillir l'information du texte, suivre le mouvement des images dans l'enchaînement des syllabes.

Dans l'affiche de Picasso, la linogravure joue un rôle plus considérable que le procédé plus simple et meilleur marché de la lithographie ou, à fortiori, celui de l'offset. Picasso représente une exception parmi ses collègues. En général, les artistes du XXe siècle ont évité cette technique. Bien que matériau moins vivant que les bois gravé (peu utilisé par Picasso), faute de veinures, la linogravure possède ses propres séductions que Picasso a su exploiter: des plages mal grattées trahissent l'artiste à l'ouvrage et rendent les contrastes clair-obscur plus faibles; des plages de couleur qui se recoupent offrent des passages moins tranchés, alors qu'un autre traitement peut engendrer des images clairement contrastées, par exemple dans l'affiche de l'exposition de 1952 à tête de bouc. Seul Picasso a su, par une prise en compte des qualité spécifiques de la linogravure, lui assurer une diffusion méritée au XXe siècle.

L'expérience de la guerre
1937-1945

«Guernica, la plus ancienne cité des provinces basques, le centre de leurs traditions culturelles, a été hier après-midi complètement anéantie par une attaque aérienne des insurgés. Le bombardement de la ville sans défense, située loin derrière la ligne du front, a duré exactement trois quarts d'heure. Durant ce laps de temps, une forte escadrille de machines d'origine allemande – des bombardiers de types Junker et Heinkel, ainsi que des chasseurs Heinkel – ont déversé au-dessus de la ville, sans interruption, des bombes allant jusqu'à un poids de 500 kilos. En même temps, des avions de chasse ont tiré en rase-motte sur des habitants qui s'enfuyaient dans les champs. En peu de temps, tout Guernica s'est embrasé »

Ce fait divers se lit dans le *Times* de Londres du 27 avril 1937 comme un reportage sec et distant d'un événement qui s'est déroulé pendant la guerre civile espagnole. Une cynique conception de l'histoire, vouée aux seuls seigneurs et héros, n'y verrait quant à elle qu'une escarmouche digne tout au plus de figurer en marge de sa narration. En revanche, ce fait divers, à la faveur de son interprétation par Picasso, de sa traduction dans le langage de la peinture, a acquis au cours des ans le caractère d'un événement du siècle. Impitoyablement, Picasso introduit dans son propre champ d'expérience les épisodes d'une répétition fasciste en vue de la fin du monde. Ce n'est plus l'actualité historique, un événement passé concret qui donne son authentique valeur à ce tableau, mais l'intemporelle éternité de la souffrance.

Le *Guernica* de Picasso (ill p. 68–69) est le type de peinture d'histoire que ce temps de l'autonomie de l'art tolère encore: le témoignage oculaire cède ici à la réaction subjective de l'artiste. Le tableau décrit moins un fait historique que l'effet de cet événement sur l'esprit de Picasso.

«Cris d'enfants cris de femmes cris d'oiseaux cris de fleurs cris de charpentes et de pierres cris de briques cris de meubles de lits de chaises de rideaux de casseroles de chats et de papiers cris d'odeurs qui se griffent cris de fumée piquant au cou les cris qui cuisent dans la chaudière et cris de la pluie d'oiseaux qui inondent la mer».

Ces termes mêmes de Picasso concluent son poème accompagnant le cycle d'eaux-fortes *Rêve et mensonge de Franco*, où l'artiste évoque pour la première fois, début 1937, la guerre civile

La Femme qui pleure, 1937
Encre 25 × 16 cm

La Femme qui pleure, 1937
Huile sur toile, 60 × 49 cm
Londres, collection Penrose

«Je n'ai pas peint la guerre parce que je ne suis pas ce genre de peintre qui va, comme un photographe, à la quête d'un sujet. Mais il n'y a pas de doute que la guerre existe dans les tableaux que j'ai faits alors. Plus tard peut-être, un historien démontrera que ma peinture a changé sous l'influence de la guerre.» Picasso

dans sa patrie espagnole, le combat qui oppose les républicains aux fascistes. Dans cette véritable cascade de dramatiques images verbales, Picasso renonce aussi à l'anecdote. Les gestes de la souffrance, le cri, non pas circonstanciés mais comme la face d'ombre perpétuelle de l'existence humaine, s'imposent et dominent cette œuvre. En ce sens, nous pouvons dire que Picasso conserve un certain goût pour le mythe, préfère souligner l'intemporalité plutôt que proposer un reportage percutant. Au moment de sa création, en mai–juin 1937, *Guernica* fut pourtant d'une brûlante actualité. En janvier, Picasso avait été

Guernica, 1937
Huile sur toile, 349,3 × 776,6 cm
Madrid, Museo del Prado

invité par le gouvernement officiel républicain d'Espagne à contribuer par une peinture monumentale à la décoration du pavillon national de l'Exposition universelle de Paris, qui devait se tenir l'été de cette même année. Malgré son désintérêt pour des travaux de commande, mais sans dévier du cheminement de sa création, il s'était décidé pour le thème du *Peintre et l'atelier*. La nouvelle du bombardement de Guernica réduit à néant l'hommage prévu à l'activité personnelle de la création artistique: ce serait vouloir parler de la pluie et du beau temps, quasi un crime, que de passer sous silence les atrocités commises.

Etude pour Guernica, 1937
Crayon, 23 × 29 cm

«J'ai toujours cru et crois encore que les artistes qui vivent et travaillent selon des valeurs spirituelles ne peuvent pas et ne doivent pas demeurer indifférents au conflit dans lequel les plus hautes valeurs de l'humanité et de la civilisation sont en jeu.»
PICASSO

«Que croyez-vous que soit un artiste? Un imbécile qui n'a que des yeux s'il est peintre, des oreilles s'il est musicien, ou une lyre à tous les étages du cœur s'il est poète, ou même, s'il est boxeur, seulement des muscles? Bien au contraire, il est en même temps un être politique, constamment en éveil devant les déchirants, ardents ou doux événements du monde, se façonnant de toute pièce à leur image. Comment serait-il possible de se désintéresser des autres hommes et, en vertu de quelle nonchalance ivoirine, de se détacher d'une vie qu'ils vous apportent si copieusement? Non, la peinture n'est pas faite pour décorer les appartements. C'est un instrument de guerre offensive et défensive contre l'ennemi.»
PICASSO

Fillette au bateau (Maya Picasso), 1938
Huile sur toile, 61 × 46 cm
Lucerne, collection Rosengart

D'innombrables esquisses et projets ont précédé l'exécution de cette œuvre profondément originale de Picasso, qui unit l'évocation du fait historique, présent dans le titre du tableau et constituant à coup sûr une réalité pour les spectateurs contemporains, à l'analyse subjective de l'artiste, exprimée dans son langage formel. Des citations empruntées à l'histoire de l'art, par exemple à la gravure *Le Palefrenier* de Hans Baldung Grien, ou aux figures de frontons des temples grecs – surtout dans la composition du triangle central –, des citations d'œuvres de lui-même, par exemple s'agissant du guerrier à terre, à gauche en bas, manifestent un trait propre à la création de Picasso. En outre, la prise en compte d'exigences concrètes de la commande est illustrée par la présence, au bas du tableau, d'un sol pavé de carreaux qui répond au pavement du pavillon espagnol.

Guernica est demeuré présent dans la conscience collective du XXe siècle, parce que *Guernica* en maintient le rappel dans le domaine de la culture. Au bout de quarante ans d'exil à New York, lorsque le tableau est retourné en Espagne en 1982 – Picasso avait disposé qu'il ne deviendrait propriété de l'Espagne qu'après la fin du fascisme –, la nation a gagné un symbole. Au Prado de Madrid, il est maintenant accroché, protégé par une surveillance et des mesures de sécurité dignes des réserves d'or de la Bank of England.

L'engagement à l'introspection suscité par le surréalisme, à la libération des impulsions psychiques, ne pouvait que modérément stimuler Picasso, beaucoup plus tourné vers les réalités extérieures. Certes, conditionné par une crise dans sa vie personnelle, le penchant à l'introspection, à l'examen de soi, est perceptible dans sa création. Mais finalement, l'artiste demeure un réaliste attaché à la figuration. Au plus tard à partir de *Guernica*, les événements concrets rendent dérisoire ce retour sur soi. L'expérience écrasante de la guerre, les tensions engagent Picasso à ressaisir des thèmes qui le font sortir de lui-même. Les années à venir offriront l'atmosphère propice à des prises de position politiques.

Comme une sorte d'écho à *Guernica*, reprenant des esquisses élaborées pour le groupe de la mère et de l'enfant, sur le côté gauche du tableau, Picasso peint en octobre 1937 la *Femme qui pleure* (ill. p. 66). Le thème contemporain de la souffrance se condense ici en une étude de tête de très gros plan. Les éléments pittoresques y dominent à une première lecture: agréables couleurs de l'arrière-plan, coquet chapeau d'été de la femme, imbrication des vues de profil et de face à laquelle de nombreux portraits nous avaient habitués. Mais, placée vraiment au centre de l'image, la forme déchiquetée du mouchoir offre une pure métaphore de la douleur; dans son déchirement, la femme mord dans ce mouchoir, qui reçoit le flot de larmes coulant de ses yeux. Les ongles des doigts eux-mêmes prennent à son contact l'aspect de larmes. La mise en scène de l'expression de la bouche souligne l'intensité de la souffrance; la réduction des contrastes de couleurs au blanc et au bleu renvoie à *Guernica*. Tout le drame de la souffrance éclate dans l'opposition du visage et du motif du mouchoir.

Nous serions presque tentés d'estimer que Picasso, ici, en a

Crâne de mouton, 1939
Gouache, 46,5 × 63 cm

«J'ai une véritable passion pour les os. J'en ai beaucoup d'autres à Boisgeloup: squelettes d'oiseaux, têtes de chiens, de moutons ... J'ai même un crâne de rhinocéros. Avez-vous remarqué que les os sont toujours modelés et non taillés, qu'on a toujours l'impression qu'ils sortent d'un moule après avoir été modelés dans la glaise? Quel que soit l'os que vous regardez, vous y retrouverez toujours la trace des doigts. Doigts parfois énormes, parfois lilliputiens, comme ceux qui ont dû modeler les minuscules et délicats osselets de cette chauve-souris. L'empreinte des doigts de ce dieu qui s'est amusé à les façonner, je les vois toujours sur n'importe quel os. Et avez-vous remarqué comment, avec leurs formes convexes et concaves, les os s'emboîtent les uns dans les autres? Avec quel art sont «ajustées» les vertèbres?» PICASSO

«Je ne veux pas qu'il puisse y avoir trois, quatre, ou un millier de façons d'interpréter une de *mes* toiles. Je veux qu'il n'y en ait qu'une, et que, dans celle-là, on puisse, au moins dans une certaine mesure, reconnaître la nature, même une nature torturée, parce qu'il s'agit après tout d'une sorte de combat entre ma vie intérieure et le monde extérieur tel qu'il existe pour la plupart des gens. Je l'ai souvent répété: je n'essaie pas d'exprimer la nature, mais de travailler comme elle. Et je veux que cet élan intérieur – mon dynamisme créateur – se présente à celui qui regarde mes toiles sous l'aspect de la peinture traditionnelle, violée.» PICASSO

Nature morte au crâne de taureau, 1942
Huile sur toile, 130 × 97 cm
Düsseldorf, Kunstsammlung Nordrhein-Westfalen

trop fait. Il nous avait familiarisés dans ses toiles cubistes, par exemple, avec l'opposition entre la banalité du sujet et la destruction des formes porteuses du motif; mais ici, il procède à un redoublement de cette destruction. La forme, dont l'aspect éclaté constitue précisément un trait fondamental de l'art de Picasso, doit elle-même engendrer ici le motif de la destruction, du déchirement, de la dissolution. Nous pourrions appeler tautologie ce phénomène constaté en plus d'une toile de cette époque. La capacité spontanée de mettre en scène la souffrance ne fait assurément pas défaut dans ces œuvres, mais un second regard suscite la question de savoir si la tendance de Picasso à la complexité formelle ne supprime pas la sobre tension de la douleur.

«Tu vois, je ne m'occupe pas seulement de choses éprouvantes.» L'avertissement de Picasso à un ami de ne pas surévaluer le thème de la souffrance dans sa création d'alors trouve sa justification dans le portrait de sa fille Maya. La *Fillette au bateau* (ill. p. 71), de janvier 1938, semble appartenir complètement au monde du quotidien. L'esprit de l'enfance est le thème de cette toile: le jeu insouciant avec le petit bateau, les grands yeux et les tresses de la petite, le trait primesautier prenant pour modèle les dessins d'enfants, tous ces éléments célèbrent une naïve gaieté, que la situation contemporaine semblerait ne pas tolérer. Mais c'est justement la vie familiale, l'intérêt porté à la petite fille qu'il a eue de Marie-Thérèse Walter, qui lui offrent les ressources nécessaires pour se lancer dans les grands projets picturaux que la collectivité requiert de lui.

En août 1939, Picasso – et avec lui l'Europe – vit pour la dernière fois avant longtemps un bel été. *Pêche de nuit à Antibes* (ill p. 74) respire cette idyllique gaieté que Picasso goûte tellement dans les toiles de son vieux compagnon Henri Rousseau. La représentation quasiment anecdotique d'une pêche par nuit de pleine lune, Picasso l'exploite comme un jeu d'harmonies de lumières et de couleurs. La description de l'activité des pêcheurs en train de harponner, à l'aide d'un trident, des animaux marins attirés par la lumière des lampes, cette description renouvelle son intérêt un peu estompé pour les scènes de genre. Mais la première impression est peut-être trompeuse. Cette étrange scène nocturne n'a-t-elle pas une connotation fantomatique et effrayante, suscitée par un coloris curieux, singulier chez Picasso? Du bleu, du noir, diverses tonalités de vert s'y mêlent à un brun rompu et à un violet sombre qui envahit la vue d'Antibes, dans le coin supérieur gauche, tandis que la pâleur des visages suggère la crainte d'un malheur menaçant.

Pendant six ans, Picasso devra renoncer à la Méditerranée. Enfermé dans un Paris occupé par les nazis, son message devient confidentiel. Vivant depuis des décennies en exil, il a su exploiter cette condition pour produire avec une rare intensité; maintenant, il doit se passer d'un public pour de longues années. L'expression «émigration intérieure» fut forgée pour qualifier la situation de retrait vécue par de nombreux artistes au temps du fascisme. La création de Picasso est pour sa part un entraînement à la survie, comme pour un Max Beckmann ou un Otto Dix, à Amsterdam ou au bord du lac de Constance, qui doivent vivre

Pêche de nuit à Antibes, 1939
Huile sur toile, 205,7 × 345,4 cm
New York, Museum of Modern Art

«Je travaille, d'une manière très traditionnelle, comme le Tintoret et le Greco, qui
peignaient entièrement en camaïeu, à la
tempera, et, vers la fin, ajoutaient des
glacis transparents et sonores, pour
accentuer les contrastes.» Picasso

«Qu'est-ce au fond qu'un peintre? C'est
un collectionneur qui veut se constituer
une collection en faisant lui-même les
tableaux qu'il aime chez les autres. C'est
comme ça que je commence, et puis, ça
devient autre chose.» Picasso

retirés sous la pression de l'occupant. A cette époque, en avril
1942, Picasso peint sa *Nature morte au crâne de taureau* (ill. p. 73).
Une atmosphère des plus sévères, définie par une table et une
fenêtre donnant sur une obscurité indéfinissable, attire d'autant
plus l'attention sur les durs ossements et les cavités profondes
du crâne. Peut-être, faute de vivres, l'artiste nepouvait-il disposer
des produits comestibles étalés sur la nappe de la table que
proposait la nature morte traditionnelle; peut-être aussi, cette
toile est-elle tout simplement une expression du désespoir.
Picasso l'a peinte le jour où il reçut la nouvelle de la mort d'un
vieil ami, le sculpteur Julio Gonzalez, avec qui il avait réalisé tant
d'expériences dans son atelier de Boisgeloup. La douleur semble
ici explicable à un double niveau: d'une part, la tristesse en
pensant à l'ami défunt, d'autre part le désespoir provoqué par la
situation du moment, ce qui motive ce sombre «memento mori»
que le Moyen Age chrétien n'aurait pu formuler de façon plus
tragique.

Le Requiem pour ce temps reste encore à accomplir. La libération de Paris en août 1944 rend plus que jamais Picasso au
public, car l'image de l'artiste authentique développée à son
sujet s'est enrichie dans sa mosaïque d'une nouvelle pierre, celle
d'une rigueur morale manifestée par Picasso sous l'occupation.
De fait, il ne s'est jamais compromis avec les nazis. La pression
d'un public politisé et sa propre vision l'engagent alors à
s'inscrire la même année au parti communiste français. L'indivi-
dualisme radical que Picasso a toujours cultivé et l'engagement
social, après les expériences de ce temps, ne sont plus inconciliables.

Avec *L'Ossuaire* (ill. p. 75) de 1945, Picasso ferme la parenthèse ouverte avec *Guernica*. L'extrême économie des couleurs, la composition centrale en triangle, offrent d'emblée un frappant parallèle. Mais la réalité a maintenant rejoint la vision. *L'Ossuaire* est créé sous l'impression des reportages consacrés aux camps de concentration libérés. Maintenant seulement, le public prend la mesure des monstres que le sommeil de la raison a engendrés. Ce fut un temps où des millions d'êtres humains se sont littéralement accumulés sous la table, comme Picasso le montre précisément dans l'entassement des squelettes de *L'Ossuaire*. La destruction des formes, le martyre subit par les personnages de ses tableaux, ont eu leur correspondant dans la réalité; *Guernica* et sa dramatisation des moyens plastiques mis en œuvre fut même, semble-t-il, beaucoup trop peu audacieux dans sa traduction de la réalité vécue.

L'expérience de la mort que l'on décèle en maint tableau de Picasso, depuis le suicide, autrefois, de son ami Casagemas – l'une des clés de son univers figuré – atteint dans *L'Ossuaire* à une sorte d'objectivité. Le fait d'avoir tant exalté l'unité de la vie et de l'art n'aurait pu trouver un accomplissement plus cynique.

«Quand je peins, j'essaie toujours de donner une image à laquelle les gens ne s'attendent pas et qui soit assez écrasante pour être inacceptable. C'est cela qui m'intéresse. Et, dans ce sens, je veux être subversif. C'est-à-dire que je donne aux gens une image de la nature et d'eux-mêmes. Les éléments épars viennent de la manière courante de voir les choses en peinture traditionnelle, mais ils sont rassemblés de façon assez inattendue et troublante pour forcer les spectateurs à se poser des questions.» Picasso

L'Ossuaire, 1944–1945
Huile et fusain sur toile, 199,8 × 250,1 cm
New York, Museum of Modern Art

Picasso céramiste

L'œuvre céramique de Picasso entretient des liens profonds avec le petit village provençal de Vallauris. L'artiste a découvert cet endroit près de Cannes en 1936, au cours d'une randonnée en voiture avec le poète Paul Eluard. Depuis l'époque romaine, on y a fabriqué de la céramique mais, faute de débouché, de nombreux ateliers ont dû fermer leur porte.

Ce n'est qu'après la guerre, en 1946, que Picasso se souvient de Vallauris; il s'y rend et rencontre le couple de potiers Ramié. Dans leur atelier «Madoura», il modèle d'abord quelques figurines, qu'il retrouve un an plus tard bien conservées. Picasso demeurera étroitement lié à Vallauris dix ans durant. Il travaille un premier temps à l'atelier des Ramié, puis occupe un atelier plus vaste dans une fabrique de parfums abandonnée, s'installant lui-même dans une villa au-dessus de la petite cité. Dès la première année, Picasso crée en étroite collaboration avec les potiers indigènes près de deux mille céramiques. Il a trouvé à Vallauris un nouveau «terrain de jeu». Caractéristique de son talent multiple, ce refus de se limiter aux disciplines artistiques traditionnelles, tant il a soif d'éprouver de nouvelles possibilités d'expression. Lorsqu'il découvre du nouveau, il s'enthousiasme comme un enfant qui a reçu son premier jouet automobile. La céramique lui convient à point. C'est un artisanat de vieille tradition, mais plutôt délaissé par les peintres

Picasso à Vallauris, 1947

ou les sculpteurs. Henri Matisse et d'autres artistes parmi les Fauves se sont certes occupé de céramique, mais ils se contentèrent de décorer de glaçures des poteries fabriquées préalablement. Au début, Picasso agit de même: il décore de glaçures colorées assiettes, coupes, pots et cruches – supports familiers de nombreuses natures mortes –, conférant une nouvelle qualité à de simples ustensiles de la vie quotidienne. Ainsi, une assiette aux formes traditionnelles se transforme sous sa main en arène de corrida. Le profil de son flanc, moucheté pour représenter des spectateurs, devient

la tribune qui entoure l'arène. Le fond de l'assiette, c'est l'arène; le torero et le taureau s'y affrontent. L'objet quotidien subit une totale métamorphose par l'art de Picasso, qui a su exploiter la forme spécifique de l'assiette et la revêtir de sa peinture. Quelques interventions picturales suffisent pour que l'objet prosaïque devienne œuvre plastique.

Picasso se contente à cette étape de souligner ce que la langue courante désigne: un vase possède un ventre, un cou aussi bien qu'un homme. La peinture fait de la céramique, de sa forme plastique, une représentation, et donc une sculpture. Conséquence presque inéluctable, Picasso se met bientôt à façonner les formes elles-mêmes. D'abord, il modifie la forme encore humide et souple résultant du tournage, en l'incurvant ou en la tassant. La sévère symétrie est abandonnée; la surface perd de son poli, le matériau et ses propriétés sont mis en valeur. Ainsi, d'un vase tassé naît une femme accroupie.

Les colombes sont un thème familier et fréquent dans l'œuvre de Picasso. Il les a trouvées dès son enfance sur le chevalet de son père. Les études d'après nature se transforment dans la peinture et la gravure ultérieures en appels en faveur de la

Vase à la chouette, 1951
Vase à deux anses; éléments montés au tour et rassemblés; décor incisé et glaçure, env.
57 × 47 × 38 cm

Assiette: Picador et cheval se cabrant, 1953
36,5 × 36 cm

Colombe bleue couchée, 1953
24 × 14 cm

Plaque: Tête de femme, 1956
Terre cuite blanche, décorée au pastel et sous
glaçure, 81 × 81 cm

Chouette, 1952
Argile blanche moulée, décorée à l'engobe et
pastel; 33,5 × 34,5 × 25 cm

Bouteilles: Femmes debout et accroupie,
1950
Terre cuite blanche; montées au tour et

modelées; oxydation sur émail blanc. Figure
de gauche: 29 × 7 × 7 cm; figure de droite:
29 × 17 × 17 cm

Vase en argile, décoré de deux joueurs de flûte, l'un nu, l'autre habillé, 1950
Monté au tour et modelé: haut. env. 60 cm

paix. La colombe s'incarne également dans ses travaux céramiques, soit comme décor peint d'assiettes et de coupes, soit sous forme plastique à partir de l'argile inerte, recevant vie de sa main, signe d'une joie intarissable de créer. A la vue des colombes de Picasso, son ami Jean Cocteau s'est écrié: «Tu leur tords le cou, et elles vivent!»

La familiarité dans l'utilisation d'un nouveau matériau augmente son plaisir à essayer de nouvelles techniques. Dans l'argile dure comme du cuir, il se met à inciser, à couper, ou ajoute des fragments

pour obtenir une surface en relief. Finalement, il lui arrive de combiner plusieurs parties de vases selon le principe du collage. Alors, les formes originales des poteries ne sont plus reconnaissables que par allusion.

Après s'être construit son propre atelier à Vallauris, Picasso a aussi entrepris la peinture de carreaux de faïence. Ce produit céramique ne fonctionne plus que comme simple support, d'ailleurs fort apprécié de Picasso parce que, à la différence de la peinture à l'huile, les glaçures ne se modifient pas ultérieurement. Il ras-

semble souvent plusieurs carreaux en un grand panneau, ceci afin de ne pas se sentir limité par le format.

La présence de Picasso a réactivé l'artisanat de la poterie dans la petite cité. L'atelier des Ramié a produit de nombreuses répliques d'après les originaux de Picasso, qui ont trouvé beaucoup d'amateurs. Chaque année, l'anniversaire de l'artiste y fut célébré par une grande fête dans l'arène locale, dont la corrida constituait le couronnement. Souvent accompagné de ses enfants, Picasso y assistait à une place d'honneur.

La dernière période
1946-1973

A la fin, il fut condamné à mourir affamé. Tel fut le sort de Midas, roi de Phrygie, dont le vœu avait été exaucé par les dieux de voir tout ce qu'il touchait se transformer instantanément en or. Tout, c'est-à-dire aussi bien la nourriture et la boisson. Ainsi le mythe grec antique met-il en garde contre la démesure, dans la recherche des biens terrestres. «Attribuer à Picasso le pouvoir de Midas correspond à la réalité: une fois son talent reconnu, dès que son crayon effleurait le papier, le moindre gribouillis se transformait en or.» Par cet éloge sans pareil, Penrose, le biographe de Picasso, a défini la mythique situation de son héros. Toutefois, l'artiste ne fut pas condamné à mourir de faim. Picasso serait-il donc un mythe à happy end?

Lassé de son séjour à Paris, où il avait dû s'enfermer pendant des années, Picasso achète en 1945 une vieille maison dans le village provençal de Ménerbes. Le roi Midas entre en scène: il échange une nature morte contre un chalet. Tout ce qu'il a envie de posséder, l'artiste peut se l'offrir en échange d'un dessin ou d'une peinture. Ce n'est pas là un don des dieux mais la conséquence de sa réputation internationale. Le mythe Picasso, cependant, a lui aussi sa moralité: le salaire que doit payer Picasso n'est pas de craindre de mourir de faim mais de craindre d'être importuné par l'opinion publique. Il lui faut se réfugier dans la solitude, et plus il se retire, plus s'accroît la vénération envers son génie. Au lendemain de la guerre, l'œuvre de Picasso apparaît donc comme une grande entreprise de repli sur soi. Il ne livre que rarement des commentaires publics; son immense production picturale des dernières années propose le reflet de sa propre existence, celle d'un artiste devenu un bien public.

La représentation de l'atelier domine un chapitre de l'autobiographie picturale de Picasso. Trop encombré des souvenirs de l'isolement subi pendant la guerre, Paris, c'est fini. En été 1955, l'artiste achète La Californie, imposante villa XIXe siècle située au-dessus de Cannes, avec vue sur Golfe-Juan et Antibes, où il avait passé plus d'un été. L'atelier ouvre sur un immense parc qui reçoit ses sculptures.

La Méditerranée, le sud, conviennent pleinement à son tempérament d'Espagnol, tout en lui offrant l'espoir d'échapper au flot accablant des visiteurs et des courtisans. Les vastes espaces de sa demeure vont constituer pendant trois ans le théâtre de ses *Paysages d'intérieur*.

Pan, 1948
Lithographie, 65 × 51 cm

Le Gentilhomme à la pipe, 1968
Huile sur toile, 145,5 × 97 cm
Lucerne, galerie Rosengart

L'Atelier de Cannes, 1956
Huile sur toile, 114 × 146 cm
Paris, Musée Picasso

«Comment voulez-vous qu'un spectateur
vive mon tableau comme je l'ai vécu? Un
tableau me vient de loin; qui sait de com-
bien loin, je l'ai deviné, je l'ai vu, je l'ai fait,
et cependant le lendemain je ne vois pas
moi-même ce que j'ai fait. Comment
peut-on pénétrer dans mes rêves, dans
mes instincts, dans mes désirs, dans mes
pensées, qui ont mis longtemps à s'éla-
borer et à se produire au jour, surtout
pour y saisir ce que j'ai mis, peut-être,
malgré ma volonté?»   Picasso

L'Atelier de Cannes (ill. p. 80), peint en mars 1956, c'est la
cathédrale de l'artiste, le lieu de culte où il officie, où des mira-
cles picturaux peuvent se produire. Naturellement, le regard de
l'artiste s'anime, prêt à pénétrer jusque dans les recoins les plus
reculés pour lâcher bride à l'imagination. Cependant, le sujet
dégage en même temps une vie propre complexe en tant que
réflexion sur l'art. Au milieu du tableau, la toile laissée vierge sur
le chevalet, est en même temps un fragment à nu du support
de ce tableau de l'atelier; la vue sur les palmiers et le parapet de
la fenêtre, à droite, semblent d'autre part prolonger sans solution
de continuité le monde peint des tableaux placés pourtant en
avant de la fenêtre. Le thème est donc celui du «tableau dans le
tableau». Cette représentation de l'atelier n'est pas seulement la
transposition de l'autoportrait dans un intérieur; c'est aussi une
manipulation des plans de la réalité, telle que l'art la reproduit
dans sa fonction substitutive.

Dix jours plus tard, *Jacqueline dans l'atelier* (ill. p. 81) pousse
encore plus loin ce jeu de l'ambiguïté. Une peinture de Picasso
lui-même, représentant son atelier – on y reconnaît le samovar,

la table, la fenêtre de *L'Atelier de Cannes* –, devient ici le sujet du tableau et justifie par son atmosphère le titre donné à la toile. Le portrait de profil de Jacqueline, la femme que Picasso épousera cinq ans plus tard dans son grand âge, demeure ambigu. Est-elle réellement installée dans le fauteuil à bascule, ou sa tête n'apparaît-elle pas plutôt comme simplement peinte sur la toile de l'arrière-plan, vide par ailleurs? Ce qui compte en définitive dans cet intérieur, ce n'est pas tellement l'influence, souvent signalée, de Matisse, ni non plus l'écriture ornementale ou les formes largement dessinées, mais au contraire l'attitude maniériste de Picasso, sa ludique manipulation des réalités présupposant une sensibilité aiguë dans sa relation à l'art.

Nous pourrions y dénoncer un «art pour l'art», reprocher une trop grande et arbitraire virtuosité artistique, s'il ne s'agissait en réalité de prendre conscience de la lutte proprement tragique – parce que vouée à l'échec – que mène Picasso contre les moulins de l'opinion publique. La confusion des plans de réalité dans ses tableaux semble en effet refléter la confusion qui règne en lui-même. L'homme Picasso est regardé comme une figure de

Jacqueline dans l'atelier, 1956
Huile sur toile, 114 × 146 cm
Lucerne, donation Rosengart à la Ville de Lucerne

«Je me comporte avec ma peinture comme je me comporte avec les choses. Je fais une fenêtre, comme je regarde à travers une fenêtre. Si cette fenêtre ouverte ne fait pas bien dans mon tableau, je tire un rideau et la ferme comme je l'aurais fait dans ma chambre. Il faut agir avec la peinture, comme dans la vie, directement. Bien entendu la peinture a ses conventions, dont il est indispensable de tenir compte, puisqu'on ne peut faire autrement. Pour cette raison il faut avoir constamment sous les yeux la présence de la vie.» PICASSO

Jacqueline à la fleur, 1954
Huile sur toile, 100 × 81 cm
Mougins, collection Jacqueline Picasso

«Pendant que je travaille, je laisse mon corps à la porte, comme les musulmans enlèvent leurs chaussures avant d'entrer dans la mosquée. Dans cet état, le corps existe de façon purement végétative, et c'est pourquoi nous, les peintres, vivons généralement si longtemps.» Picasso

«Ça suffit, non? Qu'est-ce qe j'ai besoin de faire en plus? Qu'est-ce que je peux ajouter à ça? Tout est dit.» Picasso

Les Pigeons, 1957
Huile sur toile, 100 × 80 cm
Barcelone, Museo Picasso

proue, un enfant choyé, la victime d'une course à la sensation en quête de vedette, tandis qu'on en vient à négliger sa production artistique du moment. Du Picasso des dernières années, par les illustrés, les livres, les films, on connaît jusqu'au moindre détail vestimentaire; en revanche, sa production artistique n'intéresse guère, considérée qu'elle est comme la distraction d'un génial vieillard qui n'a plus que lui-même à montrer. Cette main-mise de l'opinion publique sur sa personne peut être une des raisons qui explique le thème obsessionnel de l'art, caractéristique de la dernière période de Picasso.

Pénétrer dans l'histoire de l'art, exploiter les ressources de la tradition, est une constante à travers toute l'œuvre de Picasso. Mais, tandis que la référence à El Greco, Ingres ou Cézanne, favorisait autrefois l'émergence de son propre langage formel, les paraphrases exécutées d'après les maîtres anciens par Picasso à la fin de sa vie révèlent une nouvelle dimension. En 1946, le Louvre a organisé une confrontation de tableaux de Picasso avec des œuvres de Jacques-Louis David, Francisco de Goya ou Diego Velasquez. Les toiles de Picasso – comment en pouvait-il aller autrement? – supportèrent l'épreuve et dès lors, dans l'actualisation de l'art ancien, court un souffle de cet optimisme propre à l'après-guerre: l'art contemporain, symbolisé par Picasso, allait même surpasser l'art ancien!

L'adaptation des *Ménines* (ill. p. 84), du 17 août 1957, fait partie d'une suite de quarante-quatre paraphrases de ce tableau, toutes exprimant dans un tempo d'exécution des plus rapides une confrontation avec l'une des figures ou avec l'ensemble du tableau. L'original de Vélasquez (ill. p. 84), exécuté en 1656, Pablo l'avait admiré au Prado plus d'un demi-siècle auparavant. La tradition espagnole qu'incarne ce tableau, sa renommée mondiale, le sujet du «peintre et l'atelier», voilà autant d'éléments qui ont pu inspirer Picasso. Mais outre cela, précisément par rapport aux ambiguïtés très compliquées des scènes d'atelier créées peu auparavant, ce tableau revêt une immense importance comme modèle de réflexion, de retour sur soi-même, par le truchement de la peinture. Il réunit en effet, dans une prodigieuse dialectique, objet, sujet et spectateurs de la démarche picturale: le modèle, visible dans un miroir accroché à la paroi du fond, le peintre, qui intervient auprès de sa toile, les infantes de la cour enfin qui assistent à l'élaboration du tableau. Velasquez se représente ici, vis-à-vis du couple royal reconnaissable dans le miroir, comme peintre de cour, dévoilant l'atmosphère de celle-ci en faisant intervenir même ses maîtres. Ce tableau porte donc témoignage durable de la conscience qu'un artiste a de lui-même.

Supprimant le dogme de la perspective centrale, Picasso place l'artiste encore plus avant au premier plan. Lui-même et la représentation qu'il en donne deviennent le sujet propre; la question demeure ouverte de savoir si ce sont les citations de Vélasquez ou de lui-même qui l'emportent dans sa toile. En tout cas, sa propre personne s'ajoute sans la moindre rupture à la galerie d'ancêtres des maîtres anciens. Les visages hâchés, les silhouettes nerveuses, le caractère graphique des personnes représentées dans la partie droite de la toile, tout cela manifeste déjà un

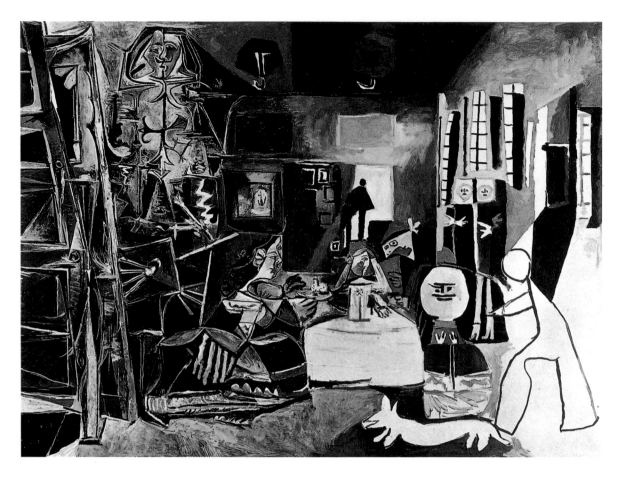

Les Ménines, d'après Velasquez, 1957
Huile sur toile, 194 × 260 cm
Barcelone, Museo Picasso

Diego Velasquez: **Les Ménines, 1656**
Huile sur toile, 318 × 276 cm
Madrid, Museo del Prado

trait de la toute dernière période: refus de la représentation illu-sionniste, au profit d'une réduction du langage formel à l'abstrac-tion dépouillée des dessins d'enfants.

Picasso aime par-dessus tout son désordre. L'accumulation d'un invraisemblable attirail prend des allures toujours plus gro-tesques; ses toiles s'entassent sur des mètres. On pourrait croire que chaque fois qu'une villa est pleine il en achète une nouvelle. Pour travailler à ses *Ménines*, il lui a cependant suffi de déména-ger au premier étage de La Californie, jusqu'alors mis gracieuse-ment à disposition des pigeons. Ceux-ci prennent leur revanche en devenant ses modèles: ils surgissent sur une série de toiles où, parallèlement aux *Ménines*, Picasso creuse une échappée pittoresque, par la fenêtre de l'atelier, sur la mer bleue au-delà de Cannes. *Les pigeons* (ill. p. 83), de septembre 1957, est un pur tableau d'atmosphère, la poétique description d'un rayonnant jour ensoleillé, une image sans arrière-pensée, ne voulant rien dire d'autre que ce qu'elle montre: un génie peut aussi s'accor-der un moment de relâche.

En 1958, c'en est fini avec La Californie. Picasso avait enrichi Cannes d'une attraction touristique supplémentaire. Le flot sans cesse accru d'admirateurs et de voyeurs rend inévitable un chan-gement de domicile. L'artiste achète le château de Vauvenargues

près d'Aix en Provence, une bâtisse du XIVe siècle avec vue sur la montagne Sainte-Victoire, la montagne de Cézanne, qui avait vécu à Aix. Le déménagement trouve son expression artistique dans une réduction de la palette des couleurs, qui se limite progressivement au noir, au blanc et au vert.

Le goût de Picasso pour un travail en séries demeure, lui, inchangé. Dans ses paraphrases du *Déjeuner sur l'herbe* d'Edouard Manet (ill. p. 85), il continue ses variations sur le peintre et le modèle. Le tableau de Manet avait déchaîné un scandale à Paris en 1863, parce que l'artiste avait osé montrer une femme nue se délassant dans la forêt et, pire encore, en compagnie de deux messieurs habillés. La version de Picasso (ill. p. 85), de 1961, conserve tous les traits essentiels du tableau classique. Le thème inaugure par ailleurs deux motifs que Picasso reprendra jusqu'à sa mort: le peintre fumant et le face-à-face de l'artiste habillé et du modèle nu.

Cette peinture traite d'un thème constant, qui a pour objet l'art lui-même: le peintre Picasso y interroge le peintre Manet sur

Le Déjeuner sur l'herbe d'après Manet, 1961
Huile sur toile, 60 × 73 cm
Lucerne, galerie Rosengart

Edouard Manet: **Le Déjeuner sur l'herbe, 1863**
Huile sur toile, 208 × 264,5 cm
Paris, Musée d'Orsay

Grand profil, 1963
Huile sur toile, 130 × 97 cm
Düsseldorf, Kunstsammlung Nordrhein-
Westfalen

«Un morceau de journal n'était jamais utilisé pour représenter un journal; on s'en
servait pour définir une bouteille, un violon ou un visage. On n'employait aucun
élément dans son sens littéral, mais toujours hors de son contexte habituel, pour
produire un choc entre la vision originelle
et sa nouvelle définition finale.» Picasso

Nu et fumeur, 1968
Huile sur toile, 162 × 130 cm
Lucerne, galerie Rosengart

sa représentation de peintres. C'est une réflexion sur son propre
statut – et là aussi intervient le rôle de l'opinion publique –, qui
fait référence à des autorités, des instances artistiques, Vélasquez, Manet, rendant de cette manière sa propre confrontation
objective, assimilable par le public. Ces variations sur de célèbres
tableaux de l'histoire de l'art s'exercent sur la scène publique la
plus ouverte. Tout y est contrôlable, prêt à être jaugé selon un
critère qui a déterminé l'œuvre de Picasso et qu'il contribue à
son tour à définir, celui de la qualité artistique, du moins tel qu'il
est reçu par un consensus général.

«Finir une chose, c'est la tuer, c'est lui enlever sa vie et son
âme.» Accordés à ces propos de Picasso, le fragment, la série
déterminent ses créations ultimes. Il y a en elles comme un défi,
disputant à la mort encore quelques heures, tant que le mot «fin»
n'a pas été prononcé. Dans les dernières années de sa vie,
Picasso peint à proprement parler en forcené, date ses travaux au
jour près, crée une œuvre ultime faite d'incessantes répétitions,
de cristallisations d'un moment de bonheur intemporel avec la
conscience que tout sera finalement vain.

Peut-être n'y a-t-il eu qu'une réalité que l'artiste Picasso a
rigoureusement évitée. Sous-jacente, il est arrivé à celle-ci de se
manifester, domestiquée dans un langage symbolique séculaire,
comme tête de mort, cierge ou fleur. La vitalité de l'artiste
reconnu a pu lui opposer ses créations durant près de deux
générations, mais la magie de l'art dut constamment offrir des
gages plus éclatants pour tenir l'adversaire en respect. La production picturale de Picasso au cours de ses dernières années n'a par
conséquent pas le caractère d'une plénitude manifestant un
contentement de soi, elle ne réduit pas l'œuvre d'une vie à pareil
dénominateur facile à consommer, elle n'est pas un testament.
Elle continue bien plutôt un combat sans cesse réactualisé contre la mort.

Le *Gentilhomme à la pipe* (ill. p. 78), de novembre 1968, décrit
dans le personnage de l'homme à la pipe, habillé nostalgique-
ment en gentilhomme, Picasso lui-même, s'identifiant à cette
figure sans cesse présente dans les dernières œuvres. Le langage
formel très simplifié, la toile filtrant dans le fond peint, l'accentuation du trait, le caractère graphique du motif, ce sont là désormais des constantes. «Quand j'avais l'âge de ces enfants, je pou-
vais dessiner comme Raphaël. J'ai eu besoin de toute une vie
pour apprendre à dessiner comme eux», constatait Picasso en
1956 déjà. Le recours à une écriture picturale d'enfant, qui vise à
une représentation expressive et non à une description, c'est sa
réponse personnelle à la mort qui approche. Il cherche par elle
un échappatoire, réagissant exactement comme il a réagi face à
une compréhension traditionnelle de l'art attachée à l'ordre et à
l'harmonie de la nature: l'œuvre ultime de Picasso ressuscite une
fois encore son goût de la révolte.

La Belle et la Bête, ce thème Picasso l'éternise dans le tableau
créé parallèlement, *Nu et fumeur* (ill. p. 87). A nouveau se dresse
au centre l'homme barbu à la pipe, sec, rabougri, tête lourde; à
ses côtés surgit cependant un nu monumental, tout entier corps,
objet. Le modèle nu est revenu dans l'atelier, mais le tendre contact des mains, le lien établi par le regard, attestent que mainte-

Vieil homme au chapeau, assis, 1970–1971
Huile sur toile, 144,5 × 114 cm
Paris, Musée Picasso

«Le rôle de la peinture, pour moi, n'est pas de peindre le mouvement, de mettre la réalité en mouvement. Son rôle est plutôt, pour moi, d'arrêter le mouvement. Il faut aller plus loin que le mouvement pour arrêter l'image. Sinon on court derrière. A ce moment-là seulement, pour moi, c'est la réalité.»   PICASSO

Personnage rembranesque et Amour, 1969
Huile sur toile, 162 × 130 cm
Lucerne, donation Rosengart à la Ville de Lucerne

nant l'acte pictural doit se substituer à l'acte sexuel. Par le truchement du thème de l'artiste, Picasso livre donc aussi l'état dans lequel il se trouve. Le peintre est devenu voyeur; le modèle résiste au regard qui l'a autrefois dévoré, projette en retour son propre regard comme une accusation portée contre l'artiste qui a si souvent exploité le corps de la femme. Peindre, semble-t-il, est la seule activité qui subsiste du passé. Tout ce qui exprimait alors l'accomplissement est maintenant hors de portée; tout, sauf l'art. Symbolisée par le thème du peintre et du modèle, Picasso livre ici une justification tout à fait personnelle de son infatigable activité: tant qu'il peint, il existe encore.

Le même fumeur barbu se voit dans le *Personnage rembranesque et Amour* (ill. p. 89) de février 1969. Quarante ans auparavant, dans le cycle gravé de la *Suite Vollard*, Picasso a déjà fait référence à Rembrandt. L'œuvre tardive des deux peintres offre en réalité de saisissantes analogies. Leur évidente concentration sur leur propre personnalité artistique élue comme thème, le penchant à l'introspection psychologique cultivé dans le portrait qu'ils donnent d'eux-mêmes, le repli dans l'intimité du domaine de l'art, sont chez l'un et l'autre une réaction contre l'intrusion du public. A vrai dire, Rembrandt devait pour sa part moins fuir les hommages que l'officier du service des faillites. Amour assiste le personnage rembranesque de Picasso comme un symbole qui le fait accéder à l'univers de l'art. Le peintre se considère ainsi lui-même comme un personnage du théâtre imaginaire; il en devient un acteur.

Pablo Picasso, le génie du siècle! Exemplaire, la vie qu'il a menée, un modèle de carrière réussie pour un siècle bourgeois. Travail sans distraction, disponibilité au changement, gloire immense, une énergie créatrice inlassable jusqu'à un âge très avancé, tout cela caractérise une existence qui fut toujours un pôle d'attraction public. L'œuvre réalisée est également exemplaire, se maintenant toujours dans une voie considérée comme le juste milieu, évitant les extrêmes de la provocation permanente et de l'adaptation continuelle. Picasso a toujours laissé briller sa prodigieuse habileté artisanale, rassurant par là un public attaché dans le quotidien à de tels critères d'appréciation. Il a su unifier de façon exemplaire l'art et la vie dans sa personne; il a obtenu une popularité inimaginable et accumulé une richesse incalculable, valeurs qui imposent l'image bourgeoise de libéralité et de sens des réalités. Picasso s'est laissé mesurer, évaluer selon la seule échelle des valeurs que le XXe siècle n'a jamais reniée: la productivité et le talent. Par là précisément, ce génie s'est prodigieusement rapproché du commun, tout en se projetant comme monument des performances humaines dans un lointain inaccessible.

Pablo Picasso 1881-1973: vie et œuvre

1881 Pablo Ruiz Picasso naît le 25 octobre à Malaga. Il est le premier enfant de Don José Ruiz Blasco (1838–1913) et de son épouse Doña Maria Picasso y Lopez (1855–1939). Son père est originaire du nord; il est peintre et professeur de dessin à l'école des arts décoratifs San Telmo de Malaga. Sa mère est andalouse.

1884 Naissance de la première sœur Lola (Dolorès).

1887 Naissance de la seconde sœur, Concepción (Conchita).

1888–1889 Il commence à peindre sous la direction de son père.

1891 La famille va se fixer à La Corogne, au nord, où le père continue à enseigner le dessin. Mort de sa sœur Conchita. Entrée au gymnase. Pablo seconde son père dans la peinture.

1892 Il entre à l'école des beaux-arts de La Corogne. Suit les cours de son père.

1894 Il écrit et illustre son journal. Le père est impressionné par l'extraordinaire talent de son fils. Il lui remet pinceaux et palette, renonçant lui-même définitivement à peindre.

1895 La famille s'installe à Barcelone. Entrée à l'académie des beaux-arts La Lonja, où le père enseigne. Il saute les deux premières classes et passe brillamment les examens de la classe supérieure.

1896 Premier atelier à Barcelone. Première grande peinture «académique» à l'huile, la Première communion (ill. p. 6), qui est exposée.

1897 *Science et charité* (Museo Picasso, Barcelone), deuxième grande peinture à l'huile, est montrée à l'Exposition nationale des beaux-arts de Madrid, où elle est élogieusement remarquée; elle obtient la médaille d'or à Malaga. Des frères du père envoient de l'argent afin que Pablo puisse étudier à Madrid. Il réussit les examens d'entrée à la classe supérieure de l'académie royale San Fernando de Madrid, qu'il quitte de nouveau en hiver.

1898 Malade de la scarlatine, il retourne à Barcelone. Long séjour de convalescence avec son ami Pallarés dans le village de Horta de Ebro. Etudes de paysages.

Picasso à Paris, 1904. Dédicace: «A mes chers amis Suzanne et Henri [Bloch]».

1899 Retour à Barcelone. Il fréquente les artistes et les intellectuels au cabaret Els Quatre Gats (Les quatre chats); il y fait la connaissance, entre autres, des peintres Junyer-Vidal, Nonell, Sunyer et Casagemas, des sculpteurs de Soto, du poète Sabartès, qui deviendra son secrétaire et ami de toujours. Il découvre l'œuvre de Steinlen et de Toulouse-Lautrec. Il illustre des journaux; première eau-forte.

1900 Atelier avec Casagemas à Barcelone. Expose environ 150 dessins à Els Quatre Gats. En octobre, il part pour Paris. Atelier avec Casagemas à Montmartre. Il voit chez les marchands des œuvres de Cézanne, Toulouse-Lautrec, Degas, Bonnard, etc. Le marchand de tableaux Manach (ill. p. 9) lui offre 150 francs par mois en échange de tableaux. Berthe Weill achète trois pastels à scènes de corrida. Il peint *Le Moulin de la Galette* (New York, Guggenheim Museum), sans doute la première toile parisienne. Se rend en décembre avec Casagemas à Barcelone et à Malaga.

1901 Casagemas se suicide à Paris. Picasso se rend à Madrid où il coédite *Arte Joven*. En mai, second voyage à Paris. Atelier au boulevard de Clichy 130. Première exposition parisienne chez Vollard; il vend quinze toiles avant le vernissage. Signe à partir de ce moment seulement «Picasso», du nom de sa mère. Outre des motifs de la vie parisienne (*La Buveuse d'absinthe*, ill. p. 11), il peint souvent les thèmes de la pauvreté, de l'âge et de la solitude. Palette presque monochrome bleu-vert; début de la période bleue.

Etudes pour l'Autoportrait à la palette, 1906 Crayon, 31,5 × 48,3 cm Paris, Musée Picasso

Maison natale de Picasso à Malaga, Plaza de la Merced

Picasso prenant la pose d'un boxeur dans son atelier de la rue Schoelcher, Paris, vers 1916

1902 Fin du contrat avec Manach. Retour à Barcelone. En avril, exposition parisienne chez Berthe Weill. Il développe la monochromie bleue. En octobre, troisième voyage à Paris. Habite chez le poète Max Jacob. Il fait presque uniquement des dessins, faute d'argent pour des toiles. Weill expose les toiles «bleues».

1903 En janvier, retour à Barcelone. Peint en quatorze mois plus de cinquante toiles, parmi lesquelles *La Vie* (ill. p. 14). D'intenses tons bleus expriment la misère corporelle de l'âge et les infirmités.

1904 Il s'installe définitivement à Paris. Atelier au «Bateau-lavoir» à la rue Ravignan 13 (jusqu'en 1909). Il fait la connaissance de Fernande Olivier, sa compagne pour sept ans. Grave l'eau-forte *Le Repas frugal* (ill. p. 28). Pablo va souvent au cirque Médrano (il s'inspire de thèmes du cirque et des saltimbanques) et au Lapin agile. Fin de la période bleue.

1905 Pablo fait la connaissance d'Apollinaire et des frère et sœur Leo et Gertrude Stein. Peint souvent des motifs du cirque, parmi lesquels *La Famille de saltimbanques* (ill. p. 25). Début de la période rose. En été, voyage en Hollande, à Schoorl. Premières sculptures. Suite d'eaux-fortes *Les Danseurs à la corde*.

1906 Visite d'une exposition de sculptures ibériques au Louvre, qui l'impressionnent. Il fait la connaissance de Matisse, de Derain et du marchand de tableaux Kahnweiler. Vollard achète la plupart des toiles «roses» et permet à

Picasso de vivre pour la première fois une vie sans soucis. Il se rend avec Fernande chez ses parents à Barcelone, puis à Gosol, au nord de la Catalogne. Peint là-bas *La Toilette* (ill. p. 27). Influences de la sculpture ibérique: *Portrait de Gertrude Stein* (New York, Metropolitan Museum of Art), *Autoportrait à la palette* (ill. p. 2).

1907 Pablo peint son *Autoportrait* (ill. p. 32). Il prépare en de nombreuses études et variations la grande toile *Les Demoiselles d'Avignon* (ill. p. 34–35), qu'il achève en juillet: c'est la première toile «cubiste», avant l'«invention» du cubisme. Pablo voit des sculptures africaines au musée d'ethnographie. Début de la période dite «période nègre». Visite deux rétrospectives Cézanne. Par Apollinaire, fait la connaissance de Braque. Enthousiasmé par *Les Demoiselles d'Avignon*, Kahnweiler devient son seul marchand.

1908 Pablo peint de nombreux nus «africains» sous l'influence de la sculpture nègre. En été, il vit avec Fernande à la rue des Bois, au nord de Paris. Il y peint des figures et des paysages. Braque expose chez Kahnweiler les premières toiles cubistes de l'Estaque. En novembre, grand banquet en l'honneur de Henri Rousseau dans l'atelier de Picasso, qui lui a acheté une toile.

1909 Peint *Pains et compotier aux fruits sur une table* (ill. p. 36). Début du cubisme «analytique» (abandon de la perspective centrale et éclatement de la forme en structures à facettes, stéréométriques). En mai, avec Fernande, il se rend chez ses parents et des amis à Barcelone. Prolonge le voyage jusqu'à Horta de Ebro. Y développe la production la plus féconde de sa carrière: paysages et architectures (*Le Réservoir, Horta de Ebro*, New York, collection particulière) dans un cubisme analytique. Portraits de Fernande *Femme aux poires*, (ill. p. 39). En septembre, il s'installe au boulevard de Clichy 11, sur la place Pigalle; Braque est son voisin. Sculpture de *Fernande* (ill. p. 46); natures mortes. Première exposition en Allemagne (Munich, galerie Thannhauser).

1910 Il achève les célèbres portraits cubistes des marchands de tableaux Vollard (ill. p. 38) et Kahnweiler (Chicago, Art Institute), ainsi que du critique d'art Uhde (collection particulière). Passe l'été avec Fernande à Cadaquès près de Barcelone; Derain et sa femme les rejoignent.

1911 Première exposition à New York. En été à Céret (Pyrénées), avec Fernande et Braque. Il introduit pour la première fois des caractères typographiques dans ses compositions. Doit rendre

Picasso, 1917

deux statuettes ibériques, acquises en ignorant qu'elles avaient été volées. Situation de crise avec Fernande; il se lie avec Eva Gouel (Marcelle Humbert), qu'il appelle «Ma jolie». Peint *L'Homme à la mandoline* (Paris, Musée Picasso).

1912 Première construction en tôle et fil de fer. Premier collage (*Nature morte à la chaise cannée*, Paris, Musée Picasso), où la toile cirée imite le cannage. Se rend avec Eva à Céret, à Avignon et à Sorgues, où ils rencontrent Braque. Premiers travaux en papier collé: montages faits de titres de journaux, étiquettes, slogans publicitaires et dessins au fusain sur papier. En septembre, il s'installe à Montparnasse, boulevard Raspail 242. Contrat avec Kahnweiler pour trois ans.

1913 Début de l'année avec Eva à Céret, où ils rencontrent Braque et Derain. Mort de son père à Barcelone. Les papiers collés conduisent au cubisme «synthétique» (grandes formes plates, à caractère graphique, cf. *Guitare*, ill. p. 41). Eva et Pablo reviennent malades à Paris. Ils s'installent à la rue Schoelcher 5.

1914 *Les Bateleurs* (ill. p. 25) atteignent la somme de 11 500 francs lors d'une vente aux enchères. En juin, avec Eva à Avignon; rencontre Braque et Derain. Peint des toiles «pointillistes». Braque et Derain sont mobilisés dès que la guerre éclate. Kahnweiler part pour l'Italie; sa galerie fait l'objet d'une saisie. La peinture de Picasso s'assombrit.

1915 Portraits réalistes au crayon de Max Jacob et Vollard. Peint l'*Arlequin* (ill. p. 45).

1916 Par l'intermédiaire de Cocteau,

Olga Picasso, 1923
Huile sur toile, 130 × 97 cm
Collection particulière

il fait la connaissance de l'impresario russe Diaghilev et du compositeur Satie. Projet du ballet *Parade* pour les Ballets Russes, avec décors de Picasso. Installation à Montrouge, rue Victor-Hugo 22.

1917   Avec Cocteau à Rome. S'associe à la troupe de Diaghilev. Projets pour *Parade*. Fait la connaissance de Stravinski et de la danseuse russe Olga Koklova. Visite de Naples et de Pompéi. Il se rend avec Olga et la troupe à Madrid et à Barcelone. Olga reste avec lui. En novembre, de nouveau à Montrouge. Peint des toiles «pointillistes».

1918   Grâce au ballet, il est introduit dans la «grande» société; modifie son style de vie. Rosenberg devient son nouveau marchand. Epouse Olga. Semaines mondaines à Biarritz. Mort d'Apollinaire. Il occupe avec Olga deux étages à la rue La Boétie 23.

1919   Il fait la connaissance de Miró et lui achète une toile. Passe trois mois avec les Ballets russes à Londres. Projets pour *Le Tricorne*; il dessine les danseurs. Eté avec Olga à Saint-Raphaël sur la Riviera. Peint les *Paysans au repos* (ill. p. 52) et des natures mortes cubistes.

1920   Projets pour le ballet de Stravinski *Pulcinella*. Kahnweiler retourne d'exil. Eté avec Olga à Saint-Raphaël et Juan-les-Pins. Gouaches d'après des motifs de la Commedia dell'arte.

1921   Naissance de son fils Paul (Paolo). Le thème «Mère et enfant» réapparaît. Autres projets de ballets. Ventes aux enchères des collections Uhde et Kahnweiler, saisies pendant la

guerre par les Français. En été, avec Olga à Fontainebleau. Peint *Les Trois musiciens* (ill. p. 56) et plusieurs compositions à figures monumentales.

1922   Le collectionneur Doucet achète pour 25 000 francs *Les Demoiselles d'Avignon* (ill. p. 35). En été avec Olga et Paul à Dinard (Bretagne). Peint *Deux Femmes courant sur la plage* (ill. p. 53). En hiver, rideau de scène pour l'*Antigone* de Cocteau.

1923   Portraits d'arlequins en style néo-classique. Eté à Cap d'Antibes; sa mère Maria lui rend visite. Peint *La Flûte de Pan* (ill. p. 55) et des études de baigneurs. A Paris, portraits d'Olga et de Paul.

1924   Plusieurs grandes natures mortes dans une manière cubiste décorative. A nouveau, des décors de ballets. Vacances avec Olga et Paul à Juan-les-Pins. Portrait de *Paul en Arlequin* (ill. p. 50). Breton publie le *Manifeste du Surréalisme*.

1925   Début de l'année avec Olga et Paul à des représentations de gala de ballet à Monte Carlo. Peint *La Danse* (Londres, Tate Gallery), où apparaissent des allusions aux rapports tendus avec Olga. Eté à Juan-les-Pins. Pablo y peint *L'Atelier à la tête de plâtre* (ill. p. 57), en se servant des accessoires du théâtre de marionnettes de Paul. En novembre, participation à la première exposition surréaliste.

1926   Série d'assemblages (montage d'objets trouvés tels que chemise, clous, ficelles) sur le thème de la guitare. Vacances à Juan-les-Pins et Antibes. En octobre, voyage avec Olga à Barcelone.

1927   Il aborde dans la rue Marie-Thérèse Walter, âgée de dix-sept ans, qui peu après devient son amante. Mort de Gris. Suite de dessins à la plume cultivant le thème de baigneuses à la sensualité agressive.

1928   Première sculpture depuis 1914. Rencontre le sculpteur Gonzalez. Eté avec Olga et Paul à Dinard. Voit en secret Marie-Thérèse. Petites toiles, au coloris intense et aux formes graphiques. Diverses constructions en fils de fer, projets pour un monument à Apollinaire.

1929   Pablo travaille avec Gonzalez à la réalisation de sculptures et de constructions en fils de fer. Série de peintures agressives à têtes de femmes qui trahissent la crise du couple. Eté à Dinard.

1930   Sculptures métalliques dans l'atelier de Gonzalez. Peint la *Crucifixion*

Pendant l'exécution de Guernica, 1937

(Paris, Musée Picasso). Achète le château de Boisgeloup près de Gisors, au nord de Paris. Vacances à Juan-les-Pins. Réalise trente eaux-fortes pour les *Métamorphoses* d'Ovide. Trouve un logement pour Marie-Thérèse à la rue La Boétie 44.

1931   Sculpture de *La Tête de femme*, à l'aide de paniers à salades (ill. p. 47). Monte un atelier de sculpteur à Boisgeloup. Suite de grandes têtes et de bustes sculptés. Vacances à Juan-les-Pins. Parution de cycles d'eaux-fortes chez Skira et chez Vollard.

1932   Série de femmes blondes assises ou couchées, pour lesquelles Marie-Thérèse pose. Grande rétrospective à Paris (236 travaux) et à Zurich. Christian Zervos publie le premier volume du catalogue raisonné (jusqu'à maintenant, 34 volumes parus).

1933   Eaux-fortes sur le thème de l'atelier du sculpteur pour la *Suite Vollard* (ill. p. 29), qui paraîtra ultérieurement, ainsi que des dessins sur le thème du Minotaure. Vacances estivales à Cannes avec Olga et Paul. Pablo se rend ensuite en auto à Barcelone et rencontre de vieux amis. Il essaie en vain d'empêcher la publication des mémoires de Fernande Olivier, craignant la jalousie d'Olga.

1934   Autres eaux-fortes. Sculptures à Boisgeloup. Voyage en Espagne avec Olga et Paul, pour assister à des corridas (Saint-Sébastien, Madrid, Tolède, Barcelone). Nombreux travaux sur le thème de la corrida, dans toutes les techniques.

1935   Peint *Intérieur avec jeune femme dessinant* (ill. p. 60); de mai à

Dans l'atelier de la rue des Grands-Augustins, 1944

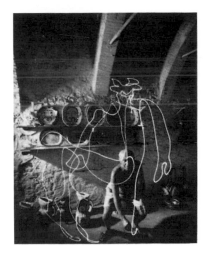

Picasso dessinant avec une lampe de poche. Vallauris, 1949

avec Dora. En hiver, grave atteinte de sciatique.

1939 La mère de Picasso meurt à Barcelone. Il fait le même jour le portrait de Dora Maar et de Marie-Thérèse, dans la même pose. En juillet, avec Dora et Sabartès à Antibes. Mort de Vollard. Peint la *Pêche de nuit à Antibes* (ill. p. 74); puis, Dora à bicyclette. Lors de la déclaration de guerre, il se rend avec Dora et Sabartès à Royan; Marie-Thérèse y séjourne aussi avec Maya.
   Pablo y demeure, avec des interruptions, jusqu'en août 1940. Grande rétrospective à New York de 344 œuvres, parmi lesquelles *Guernica*.

1940 Vit entre Royan et Paris. Peint à Royan *Femme se peignant* (New York, collection Smith). Les Allemands envahissent la Belgique et la France, occupent en juin Royan. Retour à Paris. Aban donne son habitation de la rue La Boetie et s'installe à l'atelier de la rue des Grands-Augustins. Distribue des photos de *Guernica* à des officiers allemands (Question: «C'est vous qui avez fait ça?» – Picasso: «Non, vous».)

1941 Il écrit une pièce surréaliste, *Le Désir attrapé par la Queue*. Marie-Thérèse s'installe avec Maya au boulevard Henri IV; Picasso lui rend visite les fins de semaine. Il n'est pas autorisé à quitter Paris pour aller travailler à Boisgeloup. Travail provisoire de sculpteur dans sa salle de bain.

1942 Peint la *Nature morte au crâne de taureau* (ill. p. 73). Vlaminck le dénonce dans un article de journal. *Portrait de Dora Maar à la blouse rayée* (New York, collection Hahn).

La main gauche du maître, 1947

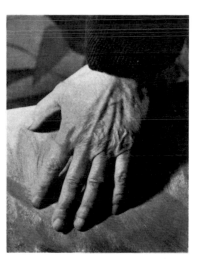

février 1936, Pablo ne peint plus. Exécute *Minotauromachie*, son plus important cycle d'eaux-fortes (ill. p. 30). Marie-Thérèse est enceinte; Pablo se sépare d'Olga et de Paul; le partage des biens provoque le renvoi du divorce. Pour Picasso, «la pire période de ma vie». Le 5 octobre, naissance de Maria de la Concepcion, appelée Maya, deuxième enfant de Picasso. Sabartès, ami d'enfance de Picasso, devient son secrétaire.

1936 Exposition itinérante de ses toiles: Barcelone, Bilbao, Madrid. Voyage en secret avec Marie-Thérèse et Maya à Juan-les-Pins. Travaux sur le thème du minotaure. 18 juillet: la guerre civile espagnole éclate. Picasso prend parti contre Franco: les Républicains le nomment en reconnaissance directeur du Prado. En août, à Mougins près de Cannes. Rencontre Dora Maar, photographe yougoslave. Cède en automne Boisgeloup à Olga et habite la maison de Vollard. Marie-Thérèse le suit avec Maya.

1937 Grave les eaux-fortes de *Songe et mensonge de Franco*. Occupe un nouvel atelier à la rue des Grands-Augustins 7. Y peint l'attaque aérienne des Allemands sur Guernica (26 avril), immense peinture murale destinée au pavillon espagnol de l'Exposition universelle de Paris: *Guernica* (ill. p. 68–69). Portrait de Dora Maar (ill. p. 63) en été à Mougins. Rend visite à Paul Klee à Berne. Le Musée d'art moderne de New York achète *Les Demoiselles d'Avignon* (ill. p. 35) pour 24000 dollars.

1938 Peint plusieurs versions de Maya et ses jouets (ill. p. 71). Collage grandeur nature *Femme à sa toilette* (Paris, Musée Picasso). Eté à Mougins

1943 Assemblage *Tête de taureau* (ill. p. 48). Sculptures. Rencontre de la jeune femme peintre Françoise Gilot, qui lui rend de fréquentes visites à l'atelier. Il se remet à peindre.

1944 Incarcération de Max Jacob, qui meurt dans un camp de concentration. Grande statue de *l'Homme au mouton* (ill. p. 48). Lecture du *Désir attrapé par la Queue*, avec la participation d'Albert Camus, Simone de Beauvoir, Jean-Paul Sartre, Raymond Queneau, etc. Après la libération de Paris, il adhère au parti communiste. Pablo participe pour la première fois, avec soixante-quatorze peintures, au Salon d'Automne; en butte à de violentes critiques.

1945 Peint *L'Ossuaire* (ill. p. 75), pendant de *Guernica*. Série de natures mortes. En juillet, avec Dora Maar à Antibes. Loue une chambre pour Françoise dans les environs, mais celle-ci se rend en Bretagne. Achète pour Dora une maison dans le village de Ménerbes, qu'il paye avec une nature morte. Se met à la lithographie dans l'atelier parisien de Fernand Mourlot (jusqu'en 1949 naissent deux cents œuvres).

1946 Pablo rend visite à Matisse, à Nice, avec Françoise; celle-ci devient son amante et habite avec lui. Il peint et exécute des lithographies d'après Françoise. En juillet, avec elle à Ménerbes, où ils habitent dans la maison de Dora. Françoise est enceinte. Picasso est autorisé à travailler au Musée d'Antibes et, au bout de quatre mois, offre de nombreuses toiles au musée qui bientôt s'appelle Musée Picasso. Première visite, brève, à Vallauris.

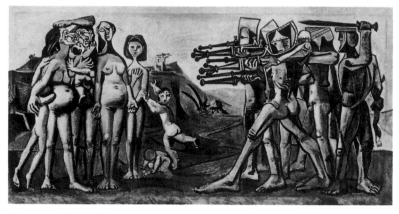

Massacre en Corée, 1951
Huile sur contreplaqué, 109,5 × 209,5 cm
Paris, Musée Picasso

1947 Lithographies dans l'atelier de Mourlot. Offre dix tableaux au Musée National d'Art Moderne. 15 mai: Françoise accouche de Claude, troisième enfant de Picasso. Il entreprend la céramique à l'atelier Madoura du couple de potiers Ramié. Jusqu'en 1948, production d'environ 2000 céramiques (ill. p. 76–77).

1948 S'installe avec Françoise et Claude à la villa La Galloise à Vallauris. Participe au congrès des intellectuels pour la paix à Bratislava; il visite Cracovie et Auschwitz. Exposition de céramiques à Paris. Portraits de Françoise.

1949 Lithographie *La Colombe*, qui devient le sujet de l'affiche du Congrès de la Paix tenu à Paris (ill. p. 64). 19 avril: naissance de Paloma (ainsi nommée d'après le sujet de l'affiche), quatrième enfant de Picasso. Il loue une ancienne parfumerie à Vallauris, y installe atelier et dépôt pour ses céramiques. Travaux de sculpteur.

1950 Peint *Les Demoiselles des bords de la Seine* d'après Courbet (Bâle, Kunstmuseum). Les sculptures *La Chèvre* et *Femme à la voiture d'enfant* sont créées à partir d'objets de rebut et coulées en bronze (ill. p. 48 et 49). Il se rend au

Congrès de la Paix à Sheffield; reçoit le Prix Lénine de la paix; est fait bourgeois d'honneur de Vallauris.

1951 Pablo peint *Les Massacres en Corée* en guise de protestation contre l'invasion américaine. Abandonne le logement de la rue La Boétie et s'installe à la rue Gay-Lussac 9. Céramiques à Vallauris. Sculpture *La Guenon et son petit*. Rétrospective à Tokyo.

1952 Pablo exécute deux grandes peintures murales *La Guerre* et *La Paix* pour le Temple de la paix à Vallauris. Les relations avec Françoise s'enveniment.

1953 Il travaille à Vallauris. Grande exposition à Rome, Lyon, Milan et Sao Paulo. Le portrait de Staline exécuté à sa mort provoque une controverse avec le parti communiste. Suite de bustes et de têtes d'après Françoise. Il se rend avec Maya et Paul à Perpignan. Y rencontre Jacqueline Roque. Françoise rentre avec les enfants a la rue Gay-Lussac.

1954 Rencontre de Sylvette David, une jeune fille; série de portraits. Portraits de Jacqueline. A Vallauris, avec Françoise et les enfants, ainsi qu'avec Jacqueline. Avec Maya et Paul à Perpignan. Rupture avec Françoise. Jacqueline s'installe chez lui. Matisse meurt (Picasso: «Au fond, il n'y a que Matisse»). Amorce les variations sur *Les Femmes d'Alger* d'après Delacroix.

1955 Olga meurt à Cannes. Avec Jacqueline en Provence. Vaste rétrospec-

Picasso à Vallauris avec ses enfants Paloma et Claude, 1953

A la corrida, à Vallauris, 1955
Picasso est assis entre Jacqueline et Jean Cocteau. Derrière lui, ses enfants Maya (avec la guitare) entre Paloma et Claude

Le marchand d'art de Picasso Daniel-Henry Kahnweiler, 1957
Craie sur papier-report, 64 × 49 cm

L'atelier de Picasso La Californie à Cannes, 1955
Crayon, 65,5 × 50,5 cm

Homme assis (autoportrait), 1965
Huile sur toile, 99,5 × 80,5 cm
Mougins, collection Jacqueline Picasso

tive à Paris (ensuite Munich, Cologne, Hambourg). Clouzot tourne le film *Le Mystère Picasso*. Achat de la villa La Californie à Cannes. Portraits de Jacqueline.

1956   Série de toiles sur le thème de l'atelier, parmi lesquelles l'*Atelier à Cannes* (ill. p. 80) et *Jacqueline dans l'atelier* (ill. p. 81). Grand groupe de sculptures *Les Baigneurs* (ill. p. 49), d'après assemblage en bois. Il fête ses soixante-quinze ans avec les potiers de Vallauris. Lettre adressée au parti communiste pour protester contre l'entrée des Russes en Hongrie.

«En art, cet homme a marqué notre temps; notre siècle est celui de Pablo Picasso. Certes, il y eut d'autres grandes peintres et sculpteurs en notre temps; mais plus que les autres, Pablo Picasso a ouvert la voie non seulement de la peinture, mais aussi de la sculpture et de la gravure et ainsi a modelé notre monde visible.»
Daniel-Henry Kahnweiler

1957   Expositions à New York, Chicago et Philadelphie. Elabore à La Californie quarante variations sur *Les Ménines* (ill. p. 84) de Vélasquez. Reçoit commande d'une peinture murale pour le nouveau bâtiment de l'UNESCO à Paris.

1958   Achève la peinture murale de l'UNESCO, *La Chute d'Icare*. Achète le château de Vauvenargues près d'Aix-en-Provence; y travaille de temps en temps entre 1959 et 1961.

1959   Pablo peint au château de Vauvenargues. Il amorce les variations sur *Le*

Déjeuner sur l'herbe de Manet (ill. p. 85). Entreprend la linogravure.

1960   Rétrospective à la Tate Gallery de Londres, avec 270 œuvres. Projets en papier découpé pour de grandes sculptures métalliques.

1961   Pablo épouse Jacqueline Roque à Vallauris. Ils s'installent à la villa Notre-Dame-de-Vie près de Cannes. Fête ses quatre-vingts ans à Vallauris. Travaux en tôle peinte et pliée.

1962   Plus de soixante-dix portraits de Jacqueline. Il reçoit à nouveau le prix Lénine de la paix. Rideau de scène pour le ballet de Paris. Nombreuses linogravures.

1963   Variations sur le portrait de Jacqueline. Suite sur le thème «Le peintre et son modèle». Inauguration du Musée Picasso à Barcelone. Braque et Cocteau meurent.

1964   La publication des souvenirs de Françoise Gilot, *Vivre avec Picasso*, provoque la rupture de Picasso avec Claude et Paloma. Expositions au Canada et au Japon. Projet pour une immense sculpture métallique d'après *Tête de femme*, pour le Civic Center de Chicago (placée en 1967).

1965   Série de peintures sur le thème «Le peintre et son modèle», paysages. Opération de l'estomac à Neuilly-sur-Seine; dernier voyage à Paris.

1966   Pablo se remet à dessiner et à peindre, à graver aussi dès l'été. Grande exposition de l'ensemble de l'œuvre à Paris (plus de sept cents œuvres); de nombreuses sculptures sont prêtées par Picasso.

1967   Refuse la Légion d'honneur. Doit débarrasser l'atelier de la rue des Grands-Augustins. Expositions à Londres et à New York.

1968   Mort de Sabartés. Picasso offre au Musée de Barcelone cinquante-huit toiles de la série des «Ménines». Il grave 347 eaux-fortes en sept mois.

1969 Nombreuses peintures: visages, couples, natures mortes, nus, fumeurs (ill. p. 89).

1970 Don de toutes les œuvres en possession de sa famille en Espagne au Musée de Barcelone (œuvres de jeunesse de Barcelone et La Corogne).

1971 Pablo fête ses quatre-vingt-dix ans.

1972 Il dessine une série d'autopor-traits. Don au Museum of Modern Art de New York de la *Construction en fils de fer* de 1928 (ill. p. 47).

1973 Pablo meurt le 8 avril à Mougins et est enterré le 10 avril dans le jardin du château de Vauvenargues.

1979 En paiement des droits de succession, une grande partie des œuvres importantes de Picasso qui apparte-naient à sa collection particulière devien-nent propriété de l'Etat français. Exposi-tion de ces œuvres (du futur Musée Picasso) au Grand Palais, à Paris.

1980 La plus grande rétrospective Picasso est organisée à l'occasion du 50e anniversaire du Museum of Modern Art de New York.

1985 Ouverture du Musée Picasso à l'hôtel Salé, à Paris (203 peintures, 191 sculptures, 85 céramiques, plus de 3000 dessins et gravures).